JN035144

総合判例研究叢書

刑事訴訟法（6）

有斐閣

刑事訴訟法・編集委員

佐伯千仭

団藤重光

序

フランスにおいて、自由法学の名とともに判例の研究が異常な発達を遂げているのは、その民法典が百五十余年の齢を重ねたからだといわれている。それに比較すると、わが国の諸法典は、まだ若い。最も古いものでも、六、七十年の年月を経たに過ぎない。しかし、わが国の諸法典は、いずれも、近代的法制を全く知らなかつたところに輸入されたものである。そのことを思えば、この六十年の間に極めて重要な判例の変遷があつたであろうことは、容易に想像がつく。事実、わが国の諸法典は、それに関連する判例の研究でこれを補充しなければ、その正確な意味を理解し得ないようになつている。

判例が法源であるかどうかの理論については、今日なお議論の余地があろう。しかし、実際問題として、多くの条項が判例によつてその具体的な意義を明かにされているばかりでなく、判例によつて特殊の制度が創造されている例も、決して少くはない。判例研究の重要なことについては、何人も異議のないことであろう。

判例の創造した特殊の制度の内容を明かにするためにはもちろんのこと、判例によつて明かにされた条項の意義を探るためにも、判例の総合的な研究が必要である。同一の事項についてのすべての判決を探り、取り扱われた事実の微妙な差異に注意しながら、総合的・発展的に研究するのでなければ、判例の研究は、決して終局の目的を達することはできない。そしてそれには、時間をかけた克明な努力を必要とする。

幸なことには、わが国でも、十数年来、そうした研究の必要が感じられ、優れた成果も少くないようになつた。いまや、この成果を集め、足らざるを補ない、欠けたるを充たし、全分野にわたる研究を完成すべき時期に際会している。

かようにして、われわれは、全国の学者を動員し、すでに優れた研究のできているものについては、その補訂を乞い、まだ研究の尽されていないものについては、新たに適任者にお願いして、ここに「総合判例研究叢書」を編むことにした。第一回に発表したものは、各法域に亘る重要な問題のうち、研究成果の比較的早くでき上ると予想されるものである。これに洩れた事項でさらに重要なもののあることは、われわれもよく知つている。やがて、第二回、第三回と編集を継続して、完全な総合判例法の完成を期するつもりである。ここに、編集に当つての所信を述べ、協力される諸学者に深甚の謝意を表するとともに、同学の士の援助を願う次第である。

昭和三十一年五月

編集代表
小野清一郎　宮沢俊義
末川博　我妻栄
中川善之助

凡例

一 判例の重要なものについては判旨、事実、上告論旨等を引用し、各件毎に一連番号を附した。

二 判例年月日、巻数、頁数等を示すには、おおむね左の略号を用いた。

大判大五・一一・八民録二二・二〇七七　（大審院判決録）

（大正五年十一月八日、大審院判決、大審院民事判決録二十二輯二〇七七頁）

大判大一四・四・二三刑集四・二六二　（大審院判例集）

最判昭二二・一二・一五刑集一・一・八〇　（最高裁判所判例集）

（昭和二十二年十二月十五日、最高裁判所判決、最高裁判所刑事判例集一巻一号八〇頁）

大判昭二・一二・六新聞二七九一・一五　（法律新聞）

大判昭三・九・二〇評論一八民法五七五　（法律評論）

大判昭四・五・二二裁判例三・刑法五五　（大審院裁判例）

福岡高判昭二六・一二・一四刑集四・一四・二一一四　（高等裁判所判例集）

大阪高判昭二八・七・四下級民集四・七・九七一　（下級裁判所民事裁判例集）

最判昭二八・二・二〇行政例集四・二・二三一　（行政事件裁判例集）

名古屋高判昭二五・五・八特一〇・七〇　（高等裁判所刑事判決特報）

東京高判昭三〇・一〇・二四東京高時報六・二・民二四九　（東京高等裁判所判決時報）

札幌高決昭二九・七・二三高裁特報一・二・七一　（高等裁判所刑事裁判特報）

前橋地決昭三〇・六・三〇労民集六・四・三八九　（労働関係民事裁判例集）

その他に、例えば次のような略語を用いた。

裁判所時報＝裁　時　　家庭裁判所月報＝家裁月報

判例時報＝判　時　　判例タイムズ＝判　タ

目次

公訴事実の同一性

鴨　良弼

はしがき

「公訴事実の同一性」ということは、訴因変更の限界を決定する規準的な意味を持つ（刑訴法第三一二条一項）と共に確定判決の効果である一事不再理の事物的限界を決定する規準的な意味を持つている。ところが、かような重要な規準的な機能を持つている「同一性」そのものの内容が、はなはだ弾力性に富み、これを正確に把握することは極めて困難である。「同一性」に対する見解が周知のように多種多様に分れていることは、実はその困難性を裏書きするものであつて、また、「同一性」の特質を反映するものにほかならない。

「公訴事実の同一性」の内容如何というような問題は、単なる抽象的な理論のみでは解決し難い問題である。訴訟の実務を知り、訴訟の多くの具体的なケースを知つて、さらに厳密な理論的な反省を加えることによつて、はじめて満足すべき内容が得られる問題である。かような意味では、「同一性」の問題は、最も判例研究に適するテーマと言うことができよう。

判例の採集は、できるだけ、実務に則し問題性を含んだものを選び、また、比較的に広範囲に及ぶように努めた。しかし、「同一性」の内容を吟味するためには、事物の性質上、判例の事実内容を詳細に示さねばならず、本論稿の紙数にも制限があり、かような関係で当初のプランを充分に果すことができなかつた。

判例の分類は、「同一性」の機能からみて、同一訴訟内の場合（訴因変更の限界、及び起訴事実と判決事実との同一性）と、他の訴訟に対する場合（刑訴法第三三七条一号—一事不再理）とに大きく分け、さらに弁論・審理の客体としての親密度合に応じて細かく分けた。一事不再理の場合における事例は、はなはだ僅少である。

一　総　説

一　公訴事実の同一性の意義

（一）公訴事実の同一性の問題は、訴訟の客体の同一性に関するものである。公訴事実の同一性の問題が訴訟法上どのような意味を持つているのか、公訴事実の同一性とは何か、またその同一性を決定する基準は何かというような問題については、先ず、訴訟の客体が訴訟法上どのような意味を持つているのか、その内容及び性質如何ということの究明が前提とならなければならない。さらに訴訟手続ないし訴訟関係の特質の究明まで遡らねばならない。公訴事実の同一性について従来展開されてきた各種の見解の相違は、実は、かような前提問題に対する究明の度合に原因しているものということができる。訴訟の客体の性格、構造を究明すること自体、非常に困難な問題である。公訴事実の同一性の問題の複雑、困難性は、既に、訴訟の客体そのものの性質に内在しているわけである。ここで、訴訟の客体の性格を詳細に論究するわけにはいかない。ただ、公訴事実の同一性に対する従来の見解ことに判例の見解を理解し、公訴事実の同一性ということに含まれた各種の問題性を知るに必要な限度に訴訟の客体の性格についての吟味を試みたい。

訴訟の客体は、検察官の訴追によつて設定された一定の被告事件である。これを検察官の「主張」という面からみれば、一定の訴因によつて表現される特定の具体的な犯罪事実である。これを裁判所の判決面からみれば、一定の判決によつて形成されるべき特定の具体的な犯罪事実である。また、さらに、被告人の弁護の面からみれば、自已の刑事責任を問題とされる一定の具体的な犯罪事実であつて、弁論（批判）の客体とされるものである。訴訟の客体は、当事者の弁論、立証の客体とされ、また裁判所の判決によつて判断形成されるべき客体という意味で、一つの訴訟上の課題である。

訴訟の客体は、訴訟手続、訴訟関係の中心となるべき基本課題である。基本課題なるが故に訴訟法は訴訟の客体に対し重要な法的規準性を与えている。当事者主義、弁論主義の構造に基づき、先ず、訴追者の訴訟活動は自已の設定した訴訟の客体に拘束される。自已の設定した課題と全然無関係な訴訟活動は許されない。その訴訟活動はかような課題の範囲に限定される。公訴権が訴訟の客体のかような規準性によつて枠づけられるところに近代刑訴の特色がある。公訴事実の同一性を決定するについて、訴追者の公訴権が最も基本的な標準となり、公訴権の目的の充足ということが同一性を決定するについての第一の基準となるものではあるが、その公訴権もまた訴訟の客体によつて法的規制を受けることを思わなければならない。

訴訟の客体は裁判所の訴訟活動ことに判決に対し規準的な機能を営む。当事者主義、弁論主義の訴訟構造では、訴追者の設定した訴訟の客体は裁判所の判決内容を規定し、判決内容たる犯罪事実は原則として訴因の内容たる犯罪事実と一致しなければならない。現行法は当事者主義を採用すると共に職権主義をもこれに折衷せしめている。訴因事実についての判断にあたり、裁判所のある程度の修正の余地が認められている。しかし、訴因の裁判所の判決に対する規準性はあくまで保持されている。旧刑訴法におけるような広範囲の修正は否定される。

公訴事実の同一性を決定するについて、公訴権が基本的な標準となること既に述べたとおりであるが裁判権もまた公訴事実の同一性を決定するについて重要な標準となることというまでもない。しかし、旧刑訴法におけるような、かなりに職権主義に比重をおかれた場合と異り、裁判所の裁判の利益のみを重視して公訴事実の同一性を決定するわけにはいかない。

訴訟の客体は被告人の訴訟活動に対し法的な規準性を持つている。訴訟の客体が訴追者並に裁判所の訴訟活動に対し規準性を持つことによつて、被告人の防禦権は保障されるのであるが、さらに、被告人の訴訟活動を訴訟の客体によつて規制するところに、公訴権、裁判権の合理性が保障される。現行法の訴因制度は、被告人の防禦権を確保することを主眼とし訴訟の客体に厳格な法的規準性を与えている。しかし、被告人の利益のみが考慮されているわけではない。やはり、被告人の無制約な防禦活動を抑制し、訴追並に裁判の適正を担保しようとする考慮があることを見逃すわけにはいかない。

訴訟の客体は、訴訟上の基本的課題としての意義があり、そこから種々の規準性を生ずること、以上に述べたとおりである。かような規準性を持つが故に、訴訟の客体は厳密に特定されることが必要であり、また、恒定されることが必要である（刑訴法二五六・三一二）。先ず、客体の特定性についていえば、刑法上いかなる犯罪事実が課題とされているかを特定・個別化する必要があり、また、訴訟法上、弁論・立証し易いように、裁判し易いように、具体的な主張として特定・個別化する必要がある。訴訟の客体の特定性は、単に刑法上の見地からばかりでなく訴訟法上の見地からも理解されなければならない。犯罪事実の特定・個別化と訴訟上の主張の特定・個別化とは明確に区別して考察されなければならい。一般に訴因の特定について刑法的見地から犯罪事実の個別化という点のみが考慮されている傾向があるが、一面的な考察である。それは、ひいては公訴事実の同一性の考察にも影響を持つている。特に重要なことは、主張の特定・個別化ということであつて、刑法的見地からの犯罪事実の特定・個別化は、その要請の必要的な前提となるに過ぎない。

（二）　訴訟の客体は、課題的な意味を持つているが、しかし、単なる課題に止まるものではない。それは、生成流動する歴史的な社会的事実を内容とし、主体の判断によつて設定されまた他の主体の判断によつて批判され具体化されゆく事実を内容としている。数学上の課題と異り客体の内容自体に発展的な意味を持つている。訴追者・被告人・裁判所の訴訟活動と共にそれに応じて発展していく性格を持つている。訴訟の客体は、訴訟上の基本的課題として固定的な性格を持たなければならないが、また、反面においてはその具体化の過程で当然に変更を予定される動的な性格を持つている。かように矛盾した二重の性格を持つところに特色がある。訴訟の客体のかような動態性は、さらに、訴追者・被告人・裁判所のいずれの立場により比重を認めるかによつてニュアンスがあらわれる。裁判所の客観的地位に比重をおいてみれば、訴訟の客体の変更性はかなりに広いものとなり、被告人の防禦の利益により比重をおけば、訴訟の客体の変更性はかなりに制限的なものとならざるを得ない。その調和が問題である。公訴事実の同一性は、かような調和の見地から考察されなければならない。公訴事実の同一性を決定するについて、従来、犯罪構成要件、或は罪質等から考察されていたが、何故にかような刑法的要素が基準として重要視されるのか深く考慮する必要がある。

（三）　訴因と公訴事実との関係については、学者の見解がはなはだ多様である。私見によれば訴因と公訴事実とは、形式と内容、訴訟上の主張と刑法上の犯罪事実との関係で一体の関係にある。公訴事実は訴訟上の主張という形式を媒介として訴訟の客体として表現され、訴訟上の主張は一定の犯罪事実の具体化を内容としている。主張を離れて公訴事実はあり得ないし、公訴事実を離れてその具体化のための主張ということはあり得ない。一定の犯罪事実の主張及びこれに対する裁判所の判断の表現はいうまでもなく訴因と判決の理由である。訴因の内容たる犯罪事実と判決の理由たる犯罪事実とは、現行法の当事者主義、弁論主義のもとでは原則として一致しなければならない。訴因によつて現に表現されている犯罪事実と判決によつて把握されるべき犯罪事実、または、もとの訴因の内容たる犯罪事実と新たな訴因の内容たる犯罪事実との同一性の問題が、公訴事実の同一性の問題である。公訴事実の同一性の問題は、当該の訴訟の発展関係において生ずるのが一般であるが、それのみに限らない。ある事件の確定判決後に、その確定判決の内容となつた犯罪事実と新たな訴訟過程において提起された訴因の内容たる犯罪事実との間において公訴事実の同一性が問題とされることがある。前者と後者とで、公訴事実の同一性を決定する基準が異るか否か一応問題であるが、私見によれば両者の基準は相違すべきではないと考える。判例にあらわれたものは、殆んど前者の場合に属している。後者の事例についての判例は僅少である。

二　学　説

（一）　基本的事実説　この説については、種々のニュアンスがあり、段階があり、これと一定して説明することは困難である。ただ共通の特色としてあげられるものは、この説に属する見解が、一定の外部的な事象ないし歴史的事象の一致というところに公訴事実の同一性を認めていることである。外部的な事象ないし歴史的事象を法的評価から離れた意味で自然主義的にまた常識的に理解するのか或はなんらかの法的観点からその重要な基礎事実を把えるかによつて、説の内容が異るわけである。総じていえば、ドイツの判例は、当初においては前者の見解がとられ、その後次第に後者の見解に移行していつたことが認められる。わが国の判例は、後にも詳細に示すように一貫して基本的事実説がとられている。しかしその内容は必ずしも同様ではない。前者の素朴的な見解がみられないではないし、また、法的観点が加味されるとしても専ら刑法的な観点に立つもの、或は訴訟法的な観点をも加味する判例すらみられる。はなはだしいのは、前者と後者の見解が混合した判例が存在している。

この説に属する見解は、一般的にいつて公訴事実の同一性を認める範囲がかなりに広い。社会事象ないし歴史的事象の関連性という殆んど無制約な立場から訴訟の客体の同一性をみるために、その肯定される範囲ははなはだしく拡張される傾向がある。かような無制約な拡張を防ぐために、歴史的事象のうち本質的な部分、或は重要な基礎部分と附属的部分とを分けて考察しようとしているが、何を本質的な部分とし、重要な基礎事実とするか、その基準となる観点が必ずしも明かでない。

（二）　構成要件共通説　　起訴事実がある犯罪の構成要件に該当し、判決によつて形成しようとする事実が他の構成要件に該当する場合であつても、後者の事実が前者の構成要件に相当程度にあてはまるときは、両事実は同一性があるとする見解である（団藤・綱要二一七）。基本的事実説が事実の同一性を決定するのに一定の法的な客観的な規準をたてることに欠陥があるのに対し、この説では構成要件の共通性という法的観点から一定の規準を見出している。しかし、訴訟の客体の同一性を決定するのに何故に刑法的な観点からのみ規準を求めるのか、訴訟法的な観点がどのように考慮されているのか明かでない。

（三）　罪質同一説　公訴事実の同一性は、構成要件又は罪名の基本的同一性、本質的同一性又は範疇的同一性によつて制約されるとするものであつて、小野博士によつて提唱される見解である（小野「犯罪構成要件理論」四四六以下）。公訴事実は、単なる裸の社会的事実としてではなく、刑法的評価を経た犯罪事実であり、一定の被告事件として提起されたものであるから、刑法的評価の基本的同一性ということを公訴事実の同一性の決定基準とすべきであるとするのがそれである。公訴事実の同一性を決定するについて、刑法的観点から一定のわくを与えようとすることは、構成要件共通説と同様であるが、構成要件又は罪名の基本的同一性ということにしぼつている点に相違がある。刑法的観点から考察することは勿論必要であるが、さらに訴訟法的観点からも同一性を考察する必要があろう。

（四）　私見　公訴事実の同一性は、刑法と訴訟法の両面から考察されなければならない。「同一性」の問題は、訴訟の客体の同一に関するものである。訴訟の客体は実体法的要素（一定の犯罪事実）と訴訟法的要素（犯罪事実の主張とその具体化）とを含むものであるから、単に刑法的な観点からのみ、その同一性を考察するわけにはいかない。訴訟は刑法の具体化のためにあり、訴訟の客体もまた刑法の具体化の手段としてあるものであるから、「同一性」の基準は先ず刑法に求めなければならない。

基本的事実説のように法的評価以前の歴史的事実を基準とすることは訴訟の客体そのものの性格を

無視する。刑法的観点を基準とするといつても、構成要件、或は構成要件的評価ということによつてのみ決定されるかは疑問である。刑法の具体化の過程という訴訟の動態性を考察する必要がある（高田「公訴事実の同一性に関する研究」に詳細）。公訴権、弁護権、裁判権の三者の調和という観点から「同一性」の限界が考察されるべきである。それは訴因変更の要否に関する問題についていえるばかりでなく、訴因変更の限界の標準である「同一性」についてもいうことができる。

先ず、訴訟法的観点から「同一性」の基準を求めよう。もとの訴因事実と新たな訴因事実、或は訴因事実と判決事実とで、犯罪の評価ないし個々的な事実が異つていても、その新たな訴因事実或は判決事実がもとの訴因事実の弁論ないし審理に重要な関連ないし明瞭な緊密な関連を持つ事実であつてその弁論ないし審理に含まれる充分な可能性があるときは、両者は公訴事実の同一性があるものというべきである。公訴事実の同一性は、繰り返し述べるように、訴訟の客体の同一性に関するものであり、それはまた弁論ないし審理の客体の同一性に関するものであつて、当事者の弁論権の同一範囲に属するものと認められる客体であれば公訴事実の同一性を目的的に認めてよいというのである。

右に述べたことと関連するのであるが、「同一性」の問題は、公訴権の満足、或は公訴権の目的の充足という観点から考察する必要がある。訴訟の客体は何よりも先ず公訴の客体であつて、その同一性の問題は公訴権を離れては解決できない筋合のものである。ある二個の犯罪事実が公訴の客体としてその同一性を問題とされる場合、そのいずれかについて裁判所の確定裁判があることによつて公訴権の目的が客観的に満足され、他方の事実の公訴権ということがあり得ないとき、両者の事実は、訴訟の客体として同一性があるとすべきである。従つて、一方の事実が確定すれば、他方の事実は新たに公訴の客体として問題とすることができないという関係にあるとき両者は「同一性」があると解される。このことは自明のことであるに拘わらず、判例ではこの基準が充分に活用されてはいないようである。

次に刑法的な観点から「同一性」の基準を求めよう。両事実が被告人の犯罪行為として具体的に共通の方向を持つ程度に緊密な関連を有することが必要である。この際、犯罪行為の共通の方向を決定するのに、単に行為の外形的事実のみでは不充分である。行為の目標ないし計画或は行為の犯罪的意思という主観的要素が考慮される必要がある。行為の計画性ないし意思及び外形的事実に具体的に共通性が認められれば、被告人の犯罪行為として共通の方向を持ち、従つて公訴事実の同一性があるものとする。かような場合には、訴訟法的にも両者の事実は互に弁論ないし審理の範囲に含まれる可能性があるものということができよう。

構成要件共通説では、何故に刑法上の構成要件のみが基準とされなければならないかについて、充分な合理的根拠が見出せない。また罪質同一説では犯罪の刑法的評価事実に比重がおかれ、訴訟の客体が訴訟法的要素を持つ点の考慮に不充分さがあらわれる。訴訟の動態性にマッチした基準が求められなければならない。

二　訴因変更の限界を規定する「公訴事実の同一性」

刑訴法第三一二条一項により、訴因は公訴事実の同一性を害しない範囲においてその修正が可能である。「公訴事実の同一性」は、訴因変更の限界を規定する機能を持つている。かような機能を持つている「公訴事実の同一性」の内容が判例上どのように理解されているかを先ず吟味する必要がある。旧刑訴法では、勿論、訴因制度がなく、「同一性」のかような機能が厳密に意識されてはいなかつた。しかし、それでもなお、「同一性」の訴訟の客体の変更に対する機能は、旧刑訴法第四一〇条一八号の規定をめぐり、かなりに理解されていた。本節では、現刑訴法上の判例を中心としつつも、旧刑訴法上の判例を対比せしめる意味でその重要なものを取りあげることとした。判例は、先ず刑法総論に関する一般的なもの（故意犯と過失犯、既遂犯と未遂犯、共犯と単独犯）をまとめ、次いで刑法各論に関するものとして、財産罪相互、財産罪と他の刑法犯、さらに特別法に関するものとして特別罪相互と類別することとした。

一　故意犯と過失犯との関係

故意犯と過失犯との間に公訴事実の同一性があるか否か、例えば放火犯と失火犯、殺人犯と過失致死犯との間に公訴事実の同一性があるか否かは一つの問題である。過失犯には過失犯としての独自の構成要件が予定せられ、いわゆる刑法的な等価値性の評価からいつても、両者の間にはかなりな質的な相違がみられる。単に刑法上の等価値性の見地からばかりでは公訴事実の同一性は決定されない。例えば、過失犯は当然に故意犯の内容に包含せられるというような、いわゆる大は小をかねるとの漠然とした理論からこれを決定するわけにはいかない。やはり、公訴事実の同一性を決定するについての基準、即ち、両者の行為関係について法的に同一の方向（刑法上、犯人とその犯罪行為について両者に関連性があり、また、訴訟法上、両者の弁論について関連性がある場合）が認められる場合に当該の故意犯と過失犯とが公訴事実の同一性を持つものということができる。判例は、この点についても基本的事実の同一性という立場から決定しているようであるが、必ずしもその内容は明かでない。判例の数もまた極めて少い。

飲酒の上、人を殺害したという殺人の公訴事実中には、不注意のため泥酔し人を死に致したとの過失致死の事実をも包含するものであるという注意すべき判例がある。

【1】「本件殺人の点に関する公訴事実に対し、原判決の判示によれば『然しながら……被告人には精神病の遺伝的素質が潜在すると共に、著しい回帰性精神病者的顕在症状を有するため、犯時甚しく多量に飲酒したことによつて病的酩酊に陥り、ついに心神喪失の状態において右殺人の犯罪を行つたことが認められる』旨認定判示し、もつてこの点に対し無罪の言渡をしているのである。しかしながら、本件被告人の如く、多量に飲酒するときは病的酩酊に陥り、因つて心神喪失の状態において他人に犯罪の害悪を及ぼす危険ある素質を有する者は居常右心神喪失の原因となる飲酒を抑止又は制限する等前示危険の発生を防止するよう注意する義務あるものといわなければならない。しからば、たとえ原判決認定のように、本件殺人の所為は被告人の心神喪失時の所為であつたとしても、（イ）被告人にして既に前示のような己れの素質を自覚していたものであり且つ（ロ）本件事前の飲酒につき前示注意義務を怠つたがためであるとするならば、被告人は過失致死の罪責を免れ得ないものといわねばならない。そして、本件公訴事実中には過失致死の事実をも包含するものと解するを至当とすべきである」（最判昭二六・一・一七刑集五・一・二〇）。

なお、過失犯と故意犯との「同一性」につき、失火と放火幇助との「同一性」に関する判例（名古屋高判昭三一

・二・一〇刑集九・三三五）があるが、それについては、確定判決の内容たる事実と新たな公訴事実との「同一性」に関する判例の項目中に取扱つている。

二　既遂犯と未遂犯との関係

ある罪の既遂犯を未遂犯に、或は未遂犯を既遂犯に変更する場合については、判例は、やはり基本的事実説の立場から殆んど自明のこととして、その同一性を肯定している。その理由は、判例によつて多少の差異は認められるが、いわゆる「大は小をかねる」Das Mehr umfasst das Weniger といつた漠然とした考え方が基本となり、そこから既遂犯と未遂犯との同一性を肯定しているようである。

同一の犯罪の既遂と未遂とでは、犯罪行為の共通性が最も顕著に認められる場合であり、また、弁論の客体としてみた場合にも、当然に同一弁論の内容に包含されるべき事項である。従つて、他の事例に比し容易に両者の同一性を認めることができよう。

【2】　「起訴状には『被告人は……田村強方において同人所有の冬オーバ外十二点の衣類を窃取した』とあるが原判決には『被告人は……田村強方で同人所有の冬オーバ外十二点の衣類等を窃取しようとしたが家人に発見せられてその犯行を遂げなかつたものである』と認定しているが、……中略、訴因の日時、場所若しくは目的物の数量又は犯罪の段階的類型、方法的類型等については或る場合には例えば数量の認定が起訴のそれと僅少の差である場合、既遂の起訴を未遂と認定する場合、若しくは正犯としての起訴を従犯と認定するような場合には訴因の変更又は追加の手続がなくても裁判所において自由にこれを変更又は追加することが許されるものと解すべきである。本件公訴事実と原判示事実とは同一性を有し、しかも公訴が既遂としたものを未遂と認定しても被告人の防禦権を侵害したものとは解されない」（東京高判昭二四・一一・一二刑集二・三・二六四）。

【3】「刑事訴訟法が起訴状記載の公訴事実に訴因の明示を求め、訴因の変更に関して厳格な手続規定を設けたのは、訴訟における被告人の防禦権の保護に欠くるところなからしめようとする趣旨にほかならず、およそ犯罪の未遂の事実は既遂の事実のうちに包含せられるのであるから、起訴状記載にかかる窃盗既遂の公訴事実に基いて、判決において窃盗未遂の事実を認定されることがあつても訴訟における被告人の防禦権の行使上何ら実質的な不利益をもたらす虞なく、従つて、このような場合には、訴因変更の手続をふむ必要がない」(福岡高判昭二五・七・一八高裁特報一二・一一二)。

強盗傷人を強盗未遂に変更するについて公訴事実の同一性があるとしたものとして、

【4】「原審が原判決事実摘示第一の三に於て認定した強盗未遂の事実と検察官が原審第二回公判廷で訂正した起訴状第四記載の強盗傷人の公訴事実とを比較して見ると原判決では訴因に包含されている強盗未遂と傷人の結合犯の中傷人の事実をとり除いて訴因を縮減しただけのことで右の変更によつて被告人の防禦に少しも不利益を生ずる虞もないのであるからかかる場合には刑事訴訟法第三百十二条所定の措置をとる必要はないものと解すべきであり従つて原審の手続に違法はないし又右の場合勿論公訴事実の同一性に変更はないのであるから原判決には所論のように審判の請求を受けない事件について判決をした違法は存しない」(東京高判昭二五・五・二〇高裁特報一一・四)。

旧法時代における判例であるが、放火罪の未遂をその既遂に変更するについて公訴事実の同一性を肯定した判例がある。

【5】原審判決「被告人ハ……自己ノ転業資金ヲ得ンカ為曩ニ自宅内ノ自己所有ノ商品ニ対シ日本動産火災保険株式会社ト保険金二千円ノ火災保険契約ヲ締結シ居ルヲ奇貨トシ隣家ナル同町大字田名部字本町二十二番地中島常治方居宅ニ放火シ因テ自宅ニ延焼セシメ右商品ヲ焼燬シテ前記保険金ヲ獲得セントコトヲ企テ同月二十二日午後十時頃「セルロイド」ヲ「ボール」紙ニテ円筒状ニ包ミ其ノ一端ニ刻煙草二三匁ヲ充填シ煙草ニ火ヲ

点スルトキハ暫時ニシテ「セルロイド」ニ引火スルカ如キ装置ヲ施シタルモノヲ作リ該煙草ニ点火シテ之ヲ布片ニ包ミタル上直ニ右物件ヲ自宅裏ニ携行シ前記中島常治方住宅ノ一部ヲ成ス同家炊事場ノ柾葺屋根ニ投ケ上ケ之ヨリ発火セシメ因テ該屋根ノ一部東西一尺六寸南北一尺ヲ焼燬シタルモノナリ」。

右の判決事実に対し、予審終結決定の犯罪事実は、被告人は判示日時、判示家屋に放火したが通行人等に発見、消止められて右放火個所の柾葺若干等を燻焼せしめたに止まつたものであるとして、放火の未遂を認定した。

右の判決事実と予審終結決定の事実について、判例は極めて簡単に

「共ノ基本タル事実関係ヲ同シウスルモノト認メ得ルカ故ニ原判決ハ起訴ノ範囲ヲ逸脱シ請求ヲ受ケタル事実ニ付審判ヲ為ササル違法アリト謂フヘカラス」としてその同一性を認めている（大判昭一一・六・八刑集一五・七六五）。

三　共犯関係

共犯現象が訴訟の客体とされる場合、公訴事実の同一性の基準がどのような点に求められるべきかは、公訴事実の同一性の問題のうち興味ある部分に属する。

いうまでもなく、共犯現象は、ある者の行為と他の者の行為とが共通の目標に主観的にも客観的にも関連し合う場合であつて、行為事情は単独犯に比してかなり複雑である。共犯は、他人の行為と関連し合う点で、相対的な意味があり、訴訟で共犯現象が問題とされる場合は、審判の範囲は単独犯のそれに比しかなりに発展する可能性がある。かように、犯罪の性質上、必然的に審判の範囲が拡張す

る可能性ある共犯現象について、公訴事実の同一性の基準をどこに求めるべきかは、特に意義があるものといわなければならない。判例は、共犯現象が訴訟の客体とされた場合についても、殆んど一貫して基本的事実の同一性の観点に基準を求めている。しかし、その基本的事実の内容は後にも詳細に示すように必ずしも明かでない。共同正犯を幇助犯ないし教唆犯に変更する場合、また、幇助犯ないし教唆犯を共同正犯に変更する場合も共に、判例は公訴事実の同一性があるとしている。単に公訴事実の同一性があるとするばかりでなく、共同正犯を幇助犯ないし教唆犯に変更する場合は、訴因変更の手続をも必要としないとするのが、判例の一般的な傾向である。

共犯関係が訴訟の客体とされる場合においても、公訴事実の同一性を決定するについての私見における一般規準が妥当するものということができよう。即ち、起訴事実と判決事実との間に被告人の犯罪行為の内容が刑法的にみて共通性ないし同一の方向性があり、また、事実関係が訴訟法的にみて訴訟関係人の訴訟活動に共通の方向を与えるものである場合には、公訴事実の同一性があるものというべきである。

（一）　共同正犯から幇助犯に変更する場合

【6】　起訴事実　「被告人等は共謀の上昭和二十四年一月十八日午後八時頃山形市香澄町六十里越一七七番地所在日本石英硝子株式会社原石倉庫内において同会社取締役社長清野実の保管に係る生ゴム二十六貫六百匁時価約十三万三千円相当を窃盗したものである」

第一審の判決事実「被告人Aは被告人B、Cが右の事実のように生ゴムを窃取するの情を知りながら同年同月十七日頃被告人の肩書住所で同人及び被告人Cに対し『明日の夕方宴会があるので生ゴムを置いてある方の工場が留守になるから盗むのに都合よい』を告げ以て同人等の右の犯行を容易たらしめこれを幇助したものである」（第一審、山形簡裁）。

以上の起訴事実と判決事実との間の同一性の判断について

「訴因とは公訴事実を法律的に構成したものをいい、ことに法律的に構成するとは、刑罰法令の各本条に定める犯罪構成要件にあてはめて叙述するということに外ならないから、訴因と判決の認定事実との間に若干の相違があつてもその間に公訴事実の同一性が失われず、同時に、そのあてはめられた構成要件の同一性もまた失われていないならば、両者は同一性を保つているものというべきで、判決の事実認定において、訴因をこの程度に変更するには、固より刑事訴訟法第三百十二条の措置を執るの要がない。ところで、前記本件訴因の窃盗の共同正犯と原判決認定の窃盗の幇助とでは、両者の基本的事実関係は同一で単に犯行の態様を異にするに過ぎぬものであるから、両者が公訴事実に於いて同一性を有するものというべきことは、従来における大審院の幾多の判例に徴して疑なく、又共犯の観念は講学上犯罪構成要件の修正形式とか刑罰拡張原因などと呼ばれるところのもので、それ自体が別個の犯罪構成要件を成立せしめる要素ではないから、ある罪の共同正犯とせられているものをその罪の幇助に変更したからとて、それによつて犯罪構成要件の同一性を失わしめたということはできない」（仙台高判昭二四・六・七刑集二・一三〇）。

右の判例では、窃盗の共同正犯と幇助犯とは、基本的事実関係は同一で単に犯行の態様を異にするに過ぎないから、公訴事実が同一であるとしている。基本的事実関係の要素をどのように把えているか明かでない。共同正犯を幇助に変更するについて、刑法的な価値関係からみて前者が後者に優位し後者に変更することは当然に許されてよいという趣旨なのか、或は両者の間に犯意、行為事情等について、法的に同一方向がみられるというところに根拠を求めるのか、訴訟法的な立場をも考慮しているのか、それ等は一切不明である。特に右の判例の後段の共犯に対する見解は、無用であるばかりでなく、その見解の内容に誤りすらみられる。

【7】 高裁判決要旨「被告人Aに対する公訴事実は同被告人は相被告人Bと共謀の上昭和二十五年十月八日新潟県中蒲原郡横越村大字小杉、大沢方牛小屋で同人所有の二才雌牛一頭を窃取したというに対し原審は訴因変更の手続をとることなく、原判決のとおり被告人Aは同日朝右中村の右牛一頭の窃取行為についてその所在場所を同人に教示してこれを幇助したものと認定したこと所論のとおりである。しかしながら原審が取り調べた証拠に現われた事実によれば被告人Aは……中略、自分は牛の所在を中村秀雄に教えてやりその牛を処分してやつた旨主張しているのであるから訴因変更の手続をとらずに共同正犯を幇助と認定しても日時及び目的物には変りなくただ共謀の上牛一頭を窃取したというのをその所在場所を教えて相被告人の犯行を容易にしたというので公訴事実の同一性は害せられず……中略、もとより公訴事実にない事実を認めたものでもない」(東京高判昭二六・四・一二)。

最高裁判決の要旨「されば、法が訴因及びその変更手続を定めた趣旨は、原判決説示のごとく、審理の対象、範囲を明確にして、被告人の防禦に不利益を与えないためであると認められるから、裁判所は、審理の経過に鑑み被告人の防禦に実質的な不利益を生ずる虞れがないものと認められるときは、公訴事実の同一性を害しない限度において、訴因変更手続をしないで、訴因と異る事実を認定しても差支えないものと解するを相当とする。本件において被告人は、第一審公判廷で、窃盗共同正犯の訴因に対し、これを否定し、第一審判決認定の窃盗幇助の事実を以て弁解しており、本件公訴事実の範囲内に属するものと認められる窃盗幇助の防禦に実質的な不利益を生ずる虞れはないのである」(最判昭二九・一・二一刑集八・一・七一)。

(二)　共犯から単独犯に変更する場合　共犯から純粋の単独犯に変更する場合ではないが、いわゆる事後共犯的な犯罪(賍物罪)に変更する場合について、「同一性」を問題とした判例としては次のものがある。

【8】　起訴事実　「被告人は朴炳朝、野田某と共謀して強盗をなさんことを企て昭和二十五年五月三十一日午前三時頃八幡市六田町一丁目大西シゲノ方に於て、被告人に於いて見張をなし、朴炳朝、野田某に於て右シゲノの長男俊彦当十四年に対し「声を出すと殺すぞ金はないか」と申し向けジャックナイフを突付けて脅迫した上同家六畳の間にありたる布団を右俊彦及び隣の子供立石義隆当十五年に覆せ同人等の反抗を抑圧しラジオ一台、大島袷一枚、錦紗長繻袢一枚等を強取したものである」

予備的訴因たる事実「被告人は昭和二十五年五月三十一日午前三時頃、朴炳朝、野田某から賍物たるの情を知りながら、八幡市六田町一丁目井上方附近において、ラジオ一台大島袷一枚錦紗袷一枚を受取り八幡市祝町三丁目崔来福方二階に宿泊中の孫俊鉱の居室迄運搬したものである」

第一審の判決事実「被告人は昭和二十五年五月三十一日午前三時三十分頃八幡市六田町一丁目井上甚六方附近に於て友人である朴炳朝、野田某から依頼を受け……ラジオ一台を同市祝町三丁目崔来福方二階に宿泊中の孫俊鉱の居室迄運搬したものである」(第一審、福岡地裁小倉支部)

判旨　「前記起訴状記載の公訴事実と、右予備的訴因とを対照するに、右強盗の時と賍物運搬開始の時とは相接し、その犯罪場所は前者は大西シゲノ方で、その後者は原判決の挙示した原審における検証の結果により明かな、同女方と僅かに五十米位隔れた井上甚六方附近で、しかも被告人右強取物件を運搬したものであつて被告人が強盗の共謀により見張りをし、他の共犯者において実行した共同正犯としての公訴事実と、被告人が見張りをしていたという場所即ち右井上方附近で、主たる訴因における共犯者が盗をすることを知りながら待いて、同人等が強取した物件を、待つていた場所から運搬したという予備的訴因とは右諸点において、それぞれ密接な関係があることが明白である。即ち右両者はその構成要件が全く罪質を異にし且つ、具体的事実は枝葉の点において所論のごとく多少の相違の点はあるが基本的事実関係において同一性があるものと認めなければならない」(福岡高判昭二七・三・二六刑集五・四三六)。

右の判例では、起訴事実たる共謀による強盗の事実と判決事実たる贓物運搬の事実との間に、被告人の行為内容に密接な関連性があるとして公訴事実の同一性を認めている。公訴事実の同一性を決定するについて、法的価値判断から離れた単なる基本的事実の同一性が問題とされているのではない。刑法的な立場から、被告人の犯罪行為における態様の共通性ないし同一方向ということが問題とされている点に注意せられる。

【9】 起訴事実「被告人は秋山音彦と共謀の上昭和二十四年十月二十七日頃……新発田北蒲衣料品荷受協同組合に於て同組合所有の天竺四十反……等価額合計十一万円相当を窃取したものである」

第一審の判決事実「被告人は昭和二十四年十月二十六日頃の夜半右秋山音彦が窃盗を為すにあたりその情を知り乍ら同人の命を受けて途中まで同道し右秋山が原判示協同組合から窃取した盗品の内天竺四十万……価格合計三万余円相当を途中から運搬し以て右秋山の犯行を容易ならしめて之を幇助したものである」(第一審、新潟地方裁判所)

判旨「起訴状に於ては、共謀による窃盗の共同正犯を訴因としているのに原判決は幇助として被害物件も起訴状より少く認定したものであつて、共謀による共同正犯の場合には各自が必ずしも、実行行為を分担するの要はないから行為の態容に於て各共犯者は或いは実行行為を為し或いは之を容易ならしめる行為を為す等夫々の段階が存し得べく、従つて仮に共謀がないとすれば幇助となるが如き事態は当然にその内容に包含せられているると解すべきものである。而して共同正犯に比して幇助の刑責の軽いことは明かであるから一般に斯る認定は被告人に不利益を及ぼさないのみならず、本件記録によつて原審に於ける被告人の防禦の経過を見るに被告人は第一回公判に於て共謀の事実、窃盗の実行の事実を否認し、判示秋山が窃盗を為すの情を知り乍ら同人の命によつて途中まで同行して待ち次で同人の窃取した物品中原判示物件を運搬した事実を認めていることは明かであつて、原判決の認定はむしろ被告人の自認の限度に於て為されたものと見るべきであり固より被告人の防禦に実質的不利益をもたらしたものと言うことはできない。右訴因の認定が右の如くなつた以上之が罰条も亦起訴状掲記の刑法第二百三十五条の外幇助の規定の適用が為されたことは、当然でありこの点の許さるべきことも亦同様である。然らば原判決が起訴状に掲げられた訴因罰条の追加変更を為すことなく、之と相異る訴因の認定、罰条の適用を為したことには、何等の違法なく又審判の請求を受けた事件について判決せず又、審判の請求を受けない事件について判決を為したものと謂うことはできない」（東京高判昭二五・三・三〇高裁特報一〇・一三）。

この判例では訴因変更の手続の要否が直接、問題とされたのであるが、公訴事実の同一性の問題についても重要な見解がみられるのでとりあげることとした。即ち、公訴事実の同一性を決定するについて、少くとも、刑法的な等価値関係の評価という立場及び行為相互における訴訟法上の意味的関連性という点から考察していることとである。

（三）　単独犯から共同正犯に変更する場合　　共犯から単独犯に変更するばかりでなく、単独犯から共犯に変更する場合もまた、公訴事実の同一性があるとする判例がある。

【10】　「原審が訴因、罰条の追加、変更を命ずる等の措置を採ることなく、所論の通り単独犯として起訴された窃盗につき共謀と認定し、共謀として起訴された窃盗につき単独犯と認定していることは、記録に徴し之を認め得られるけれども夫々両者は其の基本的事実関係を同じくし、同一性を保つていると謂うべきで、判決の事実認定に於て、訴因に含まれた事実の一部を此の程度に変更するには、刑事訴訟法第三百十二条の措置を

講ずるの要がないから、原審の訴訟手続に法令の違背があるとは解し難く、又右の同一性の点から観ても之を以て原審が審判の請求を受けた事件について判決をせず審判を受けない事件について判決したとも謂い得ない」（東京高判昭二五・五・二三高裁特報一一・五）。

次に、最高裁の判例としては次のものがあげられる。

【11】「論旨は、第一審判決が詐欺の単独犯として起訴された被告人の所為を、訴因変更の手続を経ることなくして、詐欺の共同正犯とし、原判決もこれを維持したことを以て判例に違反するものと主張する。しかしこのことは控訴趣意として主張されず、従つて原審の判断を経てない事項に関する主張であるから上告適法の理由とならない。のみならず、本件のような場合には、単独犯として起訴されたものを共同正犯としても、そのことによつて被告人に不当な不意打を加え、その防禦権の行使に不利益を与えるおそれはないのであるから、訴因変更の手続を必要としないものと解するのが相当である」（最判昭二八・一一・一〇刑集七・一一・二〇八九）。

（四）旧法時代の判例

旧法時代における判例もまた、共犯関係については、最高裁の判例と同様な見解に立つている。先ず、正犯を幇助犯と変更することについて公訴事実の同一性を認めたものとして次の判例がある。

【12】「公訴事実ニ在リテハ被告人カ右会社ヲ設立シ其ノ事務員ヲシテ取引法違反ノ取次営業ヲ為サシメタリト為スニ反シ原判決ハ他人ノ為シタル右取次営業ヲ被告人ニ於テ幇助シタリト為スモノナルカ故ニ右両者ノ間ニハ法律上ノ見解相同シカラサルモノアリト雖其ノ見解ハ何レモ叙上取次営業ヲ以テ其ノ対象ト為スモノニシテ基本的事実関係ハ彼此異ナルトコロ無シト云ハサルヘカラス」（大判昭一〇・三・二〇新聞三八五七・一二）。

収賄幇助と贈賄幇助とについて公訴事実の同一性があるとする判例がある。

【13】「贈賄者ト収賄者トノ間ニ於ケル仲介者ノ行為カ之ニ依リテ贈賄ヲ幇助シタルモノナルトキハ贈賄幇助ノ罪ヲ構成シ其ノ行為カ之ニ依リテ収賄ヲ幇助シタルモノナルトキハ収賄幇助ノ罪ヲ構成ス予審決定カ収賄ノ幇助ナリト認メタル事実ニ付原審カ取調ノ結果之ヲ贈賄ノ幇助ナリト認定シタルハ即同一行為ニ対スル見解ヲ異ニシ随テ其ノ同一行為ニ関スル事実認定ヲ異ニシタルニ過キサルモノナレハ原判決ハ公訴ノ範囲ニ属セサル事実ヲ認定シタル違法アルモノト謂フヘカラス」（大判昭七・七・一刑集一一・九九九）。

単独犯を共犯と変更するについて、両者に公訴事実の同一性があるものとする判例に次のものがある。

【14】「公訴事実ハ被告人ハ判示競馬倶楽部ヨリ被告人ノ組合長ヲ為セル判示畜産組合ニ対シ昭和九年十一月十日頃ヨリ同年十二月二十八日迄ノ間ニ三回ニ亘リ債務ノ一部弁済トシテ支払ヒタル合計金千三百六十円ヲ業務上保管中其ノ頃判示場所ニ於テ擅ニ自己ノ用途ニ費消横領シタリト云フニ在リ而シテ原判示ハ被告人ハ同年十一月十五日頃判示場所ニ於テ右倶楽部ノ会計係福田恒三ト共謀ノ上同人ヲシテ其ノ業務上保管セル右倶楽部ノ現金七百円ヲ擅ニ被告人ノ私用ノ為支出交付セシメテ之ヲ横領シタリト云フニ在リテ原判示ハ所論千三百六十円ノ一部タル七百円ノ横領ニ付其ノ被害者保管者並方法的類型ニ関シ公訴ト認定ヲ異ニスルコト洵ニ所論ノ如クナルモ是レ犯罪ノ被害者犯罪ノ態様ノ異同ニ過キスシテ公訴ニ係ル横領ノ金員ト同一金員ニ付横領ヲ認メタルモノナレハ原判示事実ハ公訴事実ノ同一性ヲ害スルコトナキヤ勿論ナリ」（大判昭一一・一〇・六刑集一五・一二六四）。

四　財産罪相互

（一）　財産罪のうち奪取罪（財物の所持の侵害を内容とする犯罪）が訴訟の客体とされる場合、判例はやはり基本的事実の同一性の見地に立脚し、公訴事実の同一性を判定している。

(1)　強盗と恐喝

【15】「元来、訴因又は罰条の変更につき、一定の手続が要請される所以は、裁判所が勝手に、訴因又は罰条を異にした事実を認定することに因つて、被告人に不当な不意打を加え、その防禦権の行使を徒労に終らしめることを防止するに在るから、かかる虞れのない場合、例えば、強盗の起訴に対し恐喝を認定する場合の如く、裁判所がその態様及び限度において訴因たる事実よりもいわば縮少された事実を認定するについては、敢えて訴因罰条の変更手続を経る必要がないものと解するのが相当である」(最判昭二六・六・一五刑集五・一二七七)。

【16】「被告人Aに対する昭和二五年七月一〇日附追起訴状記載第三準強盗の公訴事実中窃盗の罪のみを認めるためには訴因変更の手続を要するものでなく且つそれがため審判の請求を受けた事件について判決をせず又は審判の請求を受けない事件について判決をしたという違法はないと解するのが相当である。蓋し準強盗の罪の訴因は該訴因中の被告人の窃盗の罪の成立(既遂でなければならぬ場合と未遂でも足る場合あるにしても)を前提とするものであるから裁判所は先ず必ず該窃盗罪の成否の判断をしなければならぬから準強盗の訴因中には常にその前提要件たる窃盗の罪の訴因を含むものと解する外ないからである」(東京高判昭二六・七・一七刑集四・一〇九三)。

右の判例は、いずれも訴因変更を要せざるものとし、従つて公訴事実の同一性は当然のこととしてこれを容認している。ただ、前者の【15】の判例は、いわゆる「大は小をかねる」との見地からか、「縮少された事実」ということを基準として訴因変更の要否取び「同一性」を判定している。右の「縮少された事実」とは、犯罪に対する刑法上の等価値関係を考慮においていうのか、また、訴訟法上の弁論権の範囲を考慮においていうのか、明かでない。

【16】の判例は、「同一性」及び訴因の要否の判断について、簡単ではあるがその基準としているものをかなり適切に表現している。即ち、前提問題として同一の裁判過程で当然に審理の範囲に含まれ

る事項は、同一訴因事実の範囲に含まれるとする。前者の判例とは異り、訴訟法的な考慮がなされている点に特色がある。

【17】　「起訴状記載の一の事実と原判決認定の第一の㈠の事実とを比較対照するといずれも被告人は昭和二十四年四月六日頃の午後十時頃野島ハル及び橋本勇を伴つて横浜市南区吉田町三丁目三十六番地草場方を訪れ同家に居合せた須藤七五郎に対し靴穿きの儘同人の体を蹴上げ、手拳で同人の顔面を殴打し更に右橋本と共に兵児帯、帯止等で同人を縛り上げ且つ殴る蹴る等の暴行を加え、次で須藤及び草場に対しさきに野島ハルが須藤に交付した金三万二千円及び野島方で紛失した衣類等の返還を要求し草場所有の右居宅一棟及びその地上権、家財道具を売渡担保に供することを承諾させ右趣旨の書面を作成交付させ、且つ須藤所有の黒革製短靴一足及び草場所有の腕時計一個を交付させた事実を記載しておるのであつて検察官はこの事実を強盗罪にあたるとの見解のもとに罰条として刑法第二百三十六条を記載したところ、原判決は右公訴事実の前段を刑法第二百八条の暴行罪後段を同法第二百四十九条第一項の恐喝罪と認定したのであつて、右公訴事実と原判決認定の罪となるべき事実との間にはその基本的事実関係においては何等異つたものがないのであるから原判決には公訴事実の同一性を害して事件を審判したということにはならない」（東京高判昭二七・三・五刑集五・四・四六七）。

(2)　恐喝と詐欺

【18】　「所謂公訴事実の同一性とは公訴の基本的事実関係が同一であることを指称するものと解するを相当とする。今之を本件に付て観ると検察官が起訴状に記載されて居た恐喝の訴因に対し、詐欺の訴因を追加したことは洵に所論の通りであるが、本件記録に添綴されて居る……（中略）書面に依れば検察官は右詐欺の訴因を起訴状記載の恐喝の訴因と予備的関係に在るものとして、之が追加を為したことが明かであり然かも其の両訴因は夫々被告人が昭和二十四年三月中旬頃の午後十一時頃松阪市大字愛宕町五十四番地山本はまの方に於て同人から室代二百四十円の支払を不法に免れて財産上不法の利益を得たことを其の基本的事実関係とするもので

あることも起訴状……（中略）、の各記載に徴し明白であるから、右の訴因の追加は毫も公訴事実の同一性を害しないものと謂わなければならない」（名古屋高判昭二四・九・一二高裁刑特報一・一一三）。

【19】「起訴状に掲げられた公訴事実と予備的申立書に掲げられた公訴事実とを対照するとその基本たる事実関係は両者はいずれも被告人等が判示日時判示場所において不法手段を以て中島アサエから現金三百円の交付を受けたと言う事実であつて、右手段について前者は欺罔手段、後者は恐喝手段と相異しているけれどもかような手段の相異は行為の態様にすぎないから犯罪事実の同一性を害するものではない」（大阪高判昭二五・四・二二高裁刑特報一〇・六三）。

【20】「検事ノ起訴ニ係ル犯罪事実ハ被告人等ハ孰レモ姫路市並其附近ニ於テ新聞紙ヲ発行シ又ハ之ニ関係セル者ナルトコロ新聞記者聯盟ノ発会聯盟旗等虚構ノ事実ヲ申向ケテ他ヨリ金員ヲ詐取センコトヲ企テ共謀ノ上昭和七年十月中旬頃ヨリ同年十一月七日頃迄ノ間犯意ヲ継続シテ姫路市本町山陽金融無尽株式会社等及……等ヲ歴訪シ先ツ名刺ヲ一括シテ提出シ内両三名カ代表者トナリテ交渉ノ任ニ当リ其ノ間他ノ者ハ其ノ附近ニ待合セ右三十八銀行員公家一等ニ対シ前記虚偽事実ヲ申向ケテ同人等ヲ欺罔シ記者聯盟発会費用若ハ団旗調製費ニ対スル寄附金名義ノ下ニ……約百四十八円ヲ騙取シタルモノニシテ該金ハ騙取ノ都度各自分配シテ之ヲ遊興費其ノ他家計費等ニ充テ費消シタルモノナリト謂フニ在リ原判決ニ於テハ被告人等カ右起訴状記載ノ如ク公職ヲ帯ヒ又ハ医療若ハ商業等ニ従事スル者ニ対シ面談シ新聞記者聯盟費用ニ充当スル等虚言ヲ弄シ金円ノ寄附ヲ要求シタル事実ヲ認メ尚ホ相手方カ之ヲ拒絶スルニ於テハ不利益ナル事態ノ発生スルニ至ルヘキコトヲ以テ之ヲ恐喝シ判示各被害者ヨリ金員ノ交付ヲ受ケタル事実ヲ認定シアリテ起訴事実ト原判示事実トノ間ニハ被告人等ノ執リタル犯罪事実ニ付相異ル所アリト雖二者孰レモ被告人等カ判示場所ニ於テ不法手段ヲ以テ判示被害者ヨリ判示金員ノ交付ヲ受ケタル事実ニ係リ右手段ニ付テノ認定ノ相異ハ未タ以テ本件犯罪事実ノ同一性ニ影響ヲ及ホスモノニアラス」（大判昭八・一二・二一刑集一二・二三九七）。

右の判例のうち、【18】は、公訴事実の同一性を決定せしめる基本的事実について、財産上の不法利得行為の共通性をその要素として把えている。【19】の判例もまた、右と同様な立場から公訴事実の同一性をみているのであるが、前の判例よりさらに基本的事実の内容が具体的にはっきりと示されている。そこでは、両訴因の内容たる事実が、犯罪の日時、場所、被害者、被害金額等において共通性を有し、ただ行為の手段面において相違することを挙げて基本的事実が同一であり従つて公訴事実の同一性があるとしている。そこで把えられている基本的事実は単なる記述的な意味での事実ではなく、刑法的観点から基本的事実の内容が把えられている。かような観点からすれば、基本的事実の同一性というような判例の伝統的な不明瞭な概念に把われることなくさらに一歩進めて、訴訟の客体としての犯罪行為の法的な共通性ということで公訴事実の同一性を決定すべきであろう。犯罪の目的、場所、被害者、被害物等の共通性は、実は犯罪行為そのものの共通性を意味するにほかならない。最後の【20】の判例は、旧法時代における判例であるが、前二者の判例と基本的には同様な見地に立つている。

以上は公訴事実の同一性を肯定した判例であるが、恐喝と詐欺との間に公訴事実の同一性を否定した特殊の判例がある。

【21】「起訴状の本位的訴因たる恐喝は前記被告人両名が昭和二十三年三月中旬頃荒川鉎より同人外一名の共有に係る建物の売却方を依頼されたところから共謀して其頃同建物の所在地である名古屋市中区南呉服町一ノ八番地で古橋友三外数名に対し威嚇的態度言辞を用いて之を畏怖させ、因て右買取の意思なき同人等をして其の数日後代金四十八万円で買受け方承諾させた上前同所で内金三十万円を交付させて喝取したというに在り其の予備的訴因は右三十万円を受取り前記建物所有者の為保管中間もなく前記被告人等両名の共謀の上で名古

屋市中村区則武町所在の被告人小野田吉寿方で内金二十二万円を着服して横領したというのであるが、(中略)前記恐喝と横領とは其の目的とせられた金員に共通部分があるに止つて、犯行の日時、場所、被害者、被害法益、犯罪の手段等すべて異つて居るので右起訴状の恐喝と横領とは其の基本的事実を異にするものというの外なく斯る別個の事実の間では予備的な訴因の記載は許されないものといわなければならない」(名古屋高判昭二八・一一・二一刑集六・一六五)。

右の判例では、恐喝と横領との間に、両者の日時、場所、被害者、被害法益、手段等が相違あるとして公訴事実の同一性を否定している。基本的事実の要素をかように解するので以上のような結論が生ずる。しかし、本件のように、両者の行為が先行後行の関係で密接に関連し、一方の行為の審理が当然に他方の行為の審理を前提としなければならぬような関係にある犯罪行為は、訴訟の客体という面からみればその同一性を認めるべきではないであろうか。右の判例のような立場からすれば、財産罪と贓物罪とでは殆んどその公訴事実の同一性を是認できないことになるおそれがある。

(3)　詐欺と横領　　詐欺と横領との間における公訴事実の同一性の問題については、かなり多くの判例がみられる。その主な代表的な判例のみを挙げてみたい。

先ず、交付を受けて騙取したという詐欺と交付を受けて保存中横領したという横領とは公訴事実の同一性があるとする判例として、

【22】　「被告人に対する起訴状記載の公訴事実は要するに『被告人は昭和二十四年四月十九日頃岐阜市……栗本一松方において、同人に対し同人方にあつたゴム輪心棒付(荷車用)を他に売却方を世話してやるからと嘘言を申向け、同人をしてその旨誤信させて同人から右物品……の交付を受けてこれを騙取した』というのであるところ、原審において検察官より昭和二十五年五月十五日附訴因並罰条の変更請求書を提出し、所論の如

く同月二十六日の第三回公判期日に原裁判所は検察官の該書面に基く請求を許したこと、右変更請求書によれば左記第一でなければ第二とするとして第一に右起訴状記載と同一の事実を掲げ第二に『被告人は昭和二十四年四月十九日頃右栗本から同人所有のゴム輪両輪心棒付……の売却方依頼を受けて保管中同日頃擅にこれを岐阜市……武井伝三郎方において同人に対し金八百円にて入質して横領した』（原判決と同旨）と掲記してあることは記録上明かである。……右は検察官が該請求書において起訴状記載の訴因（詐欺）の外に右第二の訴因（横領）を予備的に追加し、右両者訴因の関係を明らかにするがために改めて記載したに過ぎないものというべく、……右請求書による訴因並罰条の追加変更の請求は前記本件公訴事実の同一性を害しない限度においてなされたものである」（名古屋高判昭二五・一〇・三〇高裁刑特報一三・一一二）。

【23】「リヤカーの騙取というも、その横領というも、結局リヤカーの不正領得の事実をいうので、その異るところは単にその行為の態様に過ぎず、その基本である事実には何等の異同がないから、所論の訴因及び罰条の追加は何等公訴事実の同一性を害するものではなく云々」（福岡高宮崎支部昭二五・一二・一五高裁刑特報一四・一八一）。

【24】「原審が検察官の請求により起訴状に記載された訴因及び罰条の変更を許容しこれにつき審判したことは所論指摘のとおりである。しかしながら犯罪の日時場所、数量の如きはいわゆる罪体に属しないのであつて特定した金員の騙取というも、その横領というも結局特定金員の不正領得の事実をいうので、その異るところは単にその行為の態様に過ぎず、その基本である事実には何等の変りがないから所論の訴因及び罰条の変更は公訴事実の同一性を害するものでなく、かつ右変更により被告人の防禦に実質的な不利益を生ずるおそれはないから所論の訴因及び罰条の変更を許して審理判断した原判決は相当であつて何等訴訟手続が法令に違反する不法は存しない」（仙台高判昭二七・一〇・三一刑集五・一九七六）。

【25】「相異レル数個ノ行為ヲ包含スル事実関係ニ付公訴ノ提起アリタルトキハ其ノ如何ナル部分カ犯罪ヲ構成スルカニ付テ起訴ト判決トノ間ニ所見ノ異ナル所アリテ二者罪名ヲ異ニスルコトアルモ公訴事実ノ同一性ニ影響スルモノニ非ス本件記録ヲ査閲スルニ起訴状ニ公訴事実トシテ引用シアル司法警察官ノ作成ニ係ル意見

書（二）及（五）ノ記載要旨ハ執レモ被告人カ坂東種太郎ヨリ貸金取立ノ委任ヲ受ケタルヲ奇貨トシ各其ノ取立費用等ト為ス旨詐言ヲ弄シテ同人ヲ欺罔シ之ヲシテ金員ヲ交付セシメテ騙取シ自己ノ用途ニ費消シタルモノナリト謂フニ在リ之ニ依レハ右公訴ハ被告人カ坂東種太郎ヨリ財物ノ交付ヲ受ケテ之ヲ費消シタル事実関係ヲ内容トスルモノニシテ検事ハ右事実ニ付被告人カ種太郎ヲ欺罔シテ右金員ノ交付ヲ受ケタルモノナリト観察シテ公訴ヲ提起シ原判決ハ右事実ヲ被告人カ正当ニ右金員ノ交付ヲ受ケ其ノ保管中之ヲ擅ニ費消シタル事実ナリト観察シテ横領罪ヲ以テ処断シタルモノニ係リ両者其ノ所見ヲ異ニシタル所アリト雖モ之カ為ニ公訴事実ノ同一性ニ影響スルモノニ非サレハ原審ハ所論ノ如ク公訴ノ提起ナキ事実ニ付不法ニ審判ヲ為シタルモノニ非ス」（大判昭八・七・三刑集一二・一〇六一）。

【26】「記録ヲ案スルニ、起訴状ニ依レハ被告人ハ杉山鉄吉、荒井国吉ヲ欺罔シテ所論約束手形ヲ騙取シタリトシテ公判ノ請求アリ、原判決ニ於テハ該手形ハ之カ割引ヲ為シタル上被告及右両名ノ債務弁済ニ充テンカ為ニ同人等ノ委託ニ依リテ被告之ヲ受取リ保管中擅ニ自己ノ債務ノ担保トシテ之ヲ他人ニ交付シ行使シタル事実ヲ認定シタルコト所論ノ如シト雖モ、手形ノ騙取ト言ヒ其ノ横領ト言フモ畢竟スルニ手形ノ不正領得ノ事実ヲ指スモノニ外ナラスシテ只異ナル所ハ其ノ行為ノ態様ニ過キス公訴ノ基本タル事実ニ異同ナキヲ以テ前記手形騙取ノ起訴ニ基キ該手形横領ノ事実ヲ認定スルモ公訴ノ範囲ヲ逸出シタルモノト言フヲ得ス」（大判大一四・一二・二三評論一五下刑法三〇）。

右の各判例に取りあげた事例は、いずれも、詐欺行為と横領行為とが先行（Vorfeld）と後行（Nachfeld）との密接な関係にあり、従つてかような事実相互に公訴事実の同一性を認めたことは結論的にいつて正しい。但し、その同一性を認める理由は不充分である。ことに【22】の判例は、詐欺と横領とでなぜ公訴事実の同一性を認めるのかその理由が不明である。【23】以降の各判例は、いずれも財物の不正領得ということを基本的事実として把え、その点の同一をもつて公訴事実の同一性を決定している。構成要件の相違があつても財物の不正領得において基本的に共通しているとの趣旨である。詐欺の事実と横領の事実との間に、被告人の行為として先行・後行の密接不可分な関係にあり、訴追者はかような被告人の行為関係を把えて訴訟の客体として起訴したものであるから、両者は訴訟の客体としては同一性があるとしなければならない。判例は財物の不正領得の点を基準として考察しているが、問題は財物の不正領得そのものの共通性ということにあるのではなく、財物の侵害を目標として両者の行為が先行・後行の関係で密接不可分に関連し、従つて弁論の客体として共通性があるとするところにある。かような密接な関係にあれば、当然にそれらの行為は同一訴訟手続において審理の内容とされうる可能性があるわけである。公訴事実の同一性を決定するのに単に刑法的な視野からばかりでは充分でない。訴訟法的な視野をも加味すべきである。他の旧法時代の判例についても同様な批判が妥当するであろう。

なお、詐欺と横領との「同一性」に関する判例として最高裁と大審院との各一例をあげよう。

【27】「右詐欺の基本事実は被告人が大垣信用組合において岩田吉次に支払らべき預金払戻金三万五千円を不法に領得したとの事実であり、これと原審が認定した占有離脱物横領の事実とは、犯罪の日時、場所において近接し、しかも同一財物、同一被害者に対するいずれも領得罪であつて、その基本事実関係において異るところがない。それ故、第一審が訴因の変更手続を経て横領と認定し、原審がこれを占有離脱物横領と認定しても公訴事実の同一性に欠くるところがない」(最判昭二八・五・二九刑集七・二五八)。

【28】「他人ノ財物ヲ不法ニ費消横領スル罪ト他人ヲ欺罔シテ財物ヲ騙取スル罪トハ孰レモ他人ノ財産ヲ不

法ニ領得スル犯罪ナルヲ以テ横領罪ノ公訴ノ範囲中ニハ詐欺罪ノ事実亦包含セラルヘク而シテ詐欺罪ヲ認定スル以上之カ手段タル有価証券偽造及ヒ其ノ行使ノ事実亦当然之ヲ認定シ得ヘキコト勿論ナリ」（大判昭四・一〇・一評論一八・刑訴二四八）。

(4) 窃盗と横領

【29】 起訴事実が「何日頃何町八区一二八〇番地図師照義方に於て同人所有の中古自転車一台を窃取し」とあるのを「同日頃同町八区一二八〇番地図師照義所有の中古自転車一台を借り受け保管中其の頃岩国市岩国駅前マーケットに於て直に売却横領し」と訴因を変更したのに対し、右の両事実の間に同一性があるかということについて、控訴審判決「公訴に係る事実が同一であるためには具体的事実として枝葉の点まで同一である必要はなく基本的事実関係即ち重要な事実関係が同一であれば、その同一性は害せられないと解すべきである。（中略）而して原裁判所において、検察官が窃盗を訴因として起訴した事実を横領と変更したが、その基本的事実関係において変更はないからこの変更は適法である」としている（広島高判昭二五・二・一八刑特報八・四）。

【30】 「刑事訴訟法第三百十二条に所謂公訴事実の同一性とは、犯罪事実の同一性の意味であつて、換言すれば犯罪の日時場所、手段、被害法益等に於て一個の事実として認定し得る範囲を指称するに外ならない。故に起訴の事実と変更請求の事実とは必ずしも厳格に同一なることを要するものではなく、常識上一個の事実と認め得る範囲ならば同一性を害しないものといわなければならない。之を本件に就いて看るに起訴の事実は『被告人は昭和二十五年一月五日頃、稲葉郡鵜沼町三つ池竹山栄一方に於て、同人管理杉山芳吉所有の黒色短靴一足を窃取したものである』というにあつて、変更請求の事実は『被告人は昭和二十五年一月五日頃稲葉郡鵜沼町三つ池竹山栄一方に於て同人管理杉山芳吉所有の黒色短靴一足を預り保管中その頃擅に入質横領したるものである』というにあるから彼此対比するに犯罪の日時、場所、被害法益等全く同一であつて、その異るところ

は犯罪の手段即ち窃盗と横領の差異あるのみである。故に此点に就て更に審究するに、犯罪の手段は犯罪構成要件中極めて枢要な点であつて、この相違は直ちに罪種を異にし、延いては罰条の相違を来すことがあるから一見犯罪事実の同一性を害するようであるが翻つて考えるに犯罪の日時、場所、被害法益等に於て一致する場合は、その手段の相違は同一事実に対する一部の錯誤と解せられる場合もあり、本件は正にその場合に当るものと解せられるから別個の事実では無く、従つて犯罪事実の同一性を害しないものといわなければならない」(名古屋高判昭二五・九・九刑特報一三・八五)。

【31】「公訴事実の日時、場所、方法等に多少の相異があつても基本的事実関係が同一であるとみられる場合には公訴事実の同一性を失わないものといわなければならない。ところが本件公訴事実たる窃盗の事実と原判決の認定した遺失物横領の事実とは、その日時、場所において近接し双方財産を領得する犯罪であつて対象となつた財物も同一であるから基本的事実関係が同一であるとみられるのである。従つて原判決が本件公訴事実に対し遺失物横領と認定しても旧刑訴第四一〇条第一八号に該当する違法があるとはいえない」(最判昭二五・六・三〇刑集四・一一四六)。

【32】起訴事実が「被告人は昭和二五年一二月下旬頃千葉県湊町湊野口肉店裏の湊川河岸においてA所有の杉板二十枚を窃取した」という事実と予備的訴因たる「被告人は昭和二五年八月中旬千葉県湊川海岸に漂流してきた杉板二十枚位を不法に領得し、これを同年一二月下旬頃Bに対し金二千円で売却して横領したものである」との事実について、その同一性が問題とされたのに対し、判例は

「二個の訴因を対照して考えるに『昭和二五年一二月下旬他人所有の板二十枚位が不法に領得されたことに被告人が関与した』という基本的事実において両者は全く同一性を保持しているものであり、一は右不正領得がその他人の所持を侵害して犯され、従つて窃盗罪を構成するとしたのに対し、他は同一物につきその占有が離れた他人の物を不正に領得したもの即ち刑法第二五四条の横領罪を構成するとした差異あるに過ぎない」(東京高判昭二六・九・二八刑特報一一・五・六五)。

右の判例はいずれも結論の上からみれば妥当である。右の判例のうち、公訴事実の同一性を肯定する理由として特色あるのは、【30】と【32】の判例である。前者の判例は、公訴事実の同一性を犯罪事実の同一性であると前提し、一面においてはその同一性を決定するについてその重要な要素を指摘し、他面においては常識上一個の事実と認められるものとして包括的な考察をしている。常識上、一個の事実としてみられる限り公訴事実に同一性があるとする見解は、基本的事実説の最も当初の段階にあらわれた見解であり、また、刑法的な立場から被害法益、被害物等を基本的事実とする見解は、構成要件基準説へ接近した意味での基本的事実説である。この判例には、かような見解が混合している点で興味がある。

また、【32】の判例は、同じく基本的事実説の見地に立ちながら、優れた見解を表示している。この判例では、Tat—Täterschaft の関係から公訴事実の同一性が考察されている。公訴事実の同一性を決定するについて単に Tat の客観面ばかりでなく、犯罪の関与性という被告人の Täterschaft 面から主観的な考察がなされている点に優れた内容を持つている。

(5)　横領と背任、及び詐欺と背任　背任と横領とは、刑法上、罪質を共通にし一般と特別の関係で緊密な関係にある。両者が訴訟の客体としてその同一性が問題とされる場合、判例は基本的事実説の立場から極めて容易に「同一性」を判断している。詐欺と背任についても、実体法的な評価のみを基準としその同一性を判断し、訴訟の客体に対する訴訟法的な評価という点が考慮されていないようである。

【33】「本件起訴状記載の公訴事実は、被告人は昭和二十六年三月頃渡辺貞美から現金九万円を預り保管中茅部郡臼尻村においてその頃之を着服横領したというのであり、原審はその審理の経過において、被告人は昭和二十六年三月四日頃大竹一雄、辻芳夫の両名から渡辺貞美とともに鰊油を製造又は集荷の上ドラム罐入四十本を引渡すことの依託を受けその事務処理のため金二十万円を受領しながら、自己の利益を図る目的でその任務に背き、そのうちの九万円を自己の借財等に振向け着服し、右両名に財産上の損害を加えたものであると訴因の予備的追加を許し、右予備的訴因につき有罪の判決を言渡したものであるところ、弁護人は右訴因の予備的追加は起訴状記載の本件被害者は渡辺貞美とあるのに追加された訴因での被害者は大竹一雄、辻芳夫の両名であり、起訴状記載の公訴事実は横領であるのに追加の訴因は右両名からの依託を受けた事務処理の任務に背いて自己の利益を図る目的でその受取つた金員を消費したというのであるから右は本件公訴事実の同一性（訴因の同一性とあるも公訴事実の同一性の書き誤りと解する）を欠き刑事訴訟法第三百十二条の規定に違反し無効であると主張する。

　訴因の追加が公訴事実の同一性を欠く場合は不適法であることは言うを俟たないところであるが追加される訴因が公訴事実とその基盤を同うし公訴の範囲に属するものと認められる場合はその同一性があるものと解せられる。本件起訴状に記載された公訴事実の訴因における被害者は渡辺貞美であり、予備的追加の訴因における被害者は大竹一雄及び辻芳夫の両名であつてその被害者を異にするけれども、被告人がその保管にかかる他人の現金九万円を擅に着服流用した事実に変りはなく、またその保管が大竹及び辻の依託により鰊油の製造又は集荷の事務処理のために預つたものであるとすれば、その保管金を擅に自己に着服流用した所為が一面背任の性質を有すべく、唯被告人の右保管金九万円を着服流用した所為が横領を構成すればその背任は横領に帰一し、別に背任を構成しないだけのことである。しからば検察官の請求する右背任の訴因もまた本件公訴の範囲に属するものと解するのが妥当である」（札幌高裁函館支部判昭二七・一〇・一三刑集五・一九四二）。

【34】「本件起訴状及び東京地方検察庁検察官検事木村喜和作成の昭和二十六年六月二十五日附予備的訴因

の追加と題する書面を見ると、前者には公訴事実として、被告人は篠崎宗義から同人所有にかかる渋谷区原宿一丁目百十九番地所在の土地百四十五坪二合六勺を担保に金融斡旋の依頼を受け、その関係書類を預かり、昭和二十四年九月二十五日右土地を担保として本部定親から金十万円を借り受けることとなり、同日右関係書類を使用し右土地を担保として同人から現金八万五千円を借り受けたが、該金員を前記篠崎宗義に交付せず、即時これを擅に着服して横領したとの旨の記載があり、一方後者には、被告人は昭和二十四年七月頃篠崎宗義から同人所有の東京都渋谷区原宿一丁目百十九番地所在土地百四十五坪を担保として千葉無尽株式会社より金五十万円を内金十五万円位は諸費用及び被告人報酬に充て得る約定にて借入方依頼を受けてこれを承諾し、右土地の関係書類を預つたが、右約定を誠実に履行すべき任務に背き自己の利益を図る目的で同年九月二十五日頃本部定親との間に前記書類を使用して右土地を譲渡担保に同人から一ケ月の期限で金十万円を借り受ける契約を為し、同人から現金八万円を受け取り、これを自己の用途に費消し、もつて篠崎宗義に対し、同年十二月二十七日頃右土地の所有権を失わしめて損害を加えたとの記載がある。そして、右のごとき二つ以上の訴因について基本的事実関係が同一であるかどうかは、その各訴因を構成する犯罪の構成要件に属する重要な事実がある程度重なり合つているかどうかによつてこれを決すべきものと考えられるのであつて、本件起訴状に記載されている横領の訴因を構成するその構成要件に属する重要な事実と前記予備的訴因の追加と題する書面に記載されている背任の訴因を構成するその構成要件に属する重要な事実とは多少矛盾するところがあるけれども相当程度重なり合つていることは、右各事実を互に比較対照すれば容易に之を観取することができるから、右両者はその基本的事実が同一であると認むべきである」（東京高判昭二九・二・一五刑集七・一三三）。

【35】　「本件予審請求書ニ掲ケラレタル公訴事実ト予審終結決定ニ掲ケラレタル公訴事実トヲ比照スルニ其ノ基礎タル事実関係ハ両者孰レモ被告人正二郎カ株式会社鴻池銀行赤坂支店長代理トシテ同銀行ヲ代理シ小切手ヲ振出ス権限ヲ有セル当時昭和二年十一月二日被告人尚亮、久作等ノ金融ヲ図ル目的ヲ以テ右資格ヲ冒用シ振出シタル小切手一通ヲ所持セルトコロ右職務ヲ免セラレ該権限ナキニ至リタル後尚亮、喜三、久作等ト謀リ

同月四日之ヲ情ヲ知ラサル被告人源一郎ニ交付シ同人ヲシテ情ヲ知ラサル木下鹿次ニ交付セシメ割引ヲ求メシメ同人ヨリ金一万六千五百七十五円ノ交付ヲ受ケタリト謂フニアリテ其事実関係ニ関スル限リ両者ノ間ニ何等差異ノ存スルコトナク唯異ナルトコロハ右事実ニ対スル法律上ノ見解ノ差異ニ存スルノミ即チ予審請求書ニ於テハ右小切手ハ法律上無効ノモノナリトノ見解ヲ採リ被告人正二郎カ之ヲ有効ノモノトシテ被告人源一郎ヲ通シテ木下鹿次ニ交付シタルコトハ同人ヲ欺罔セルモノニシテ仍テ金円ノ交付ヲ受ケタルハ財物ノ騙取ニ該当スルモノト見解シタルニ反シ予審終結決定ハ右同一ノ事実ニ付テ背任罪ノ成立ヲ認メタル点ニ在リ而シテ公訴ハ一定ノ事実ニ付提起セラルルモノニシテ其ノ之ニ付セラルル罪名ハ毫モ其ノ同一性ニ影響ヲ及ホスモノニ非サルコトハ屢次本院判例ノ示ストコロナレハ本件起訴ト予審終結決定トノ間ニ叙上ノ差違アルノ故ヲ以テ原判決ヲ目シテ不法ニ公訴ヲ受理シタルモノト做スヲ得ス」（大判昭八・一二・一八刑集一二・二三六〇）。

【36】　起訴事実「被告人ハ西白河郡関平村斎藤富次ナルモノノ如ク装ヒ金員ヲ騙取セントコトヲ企テ昭和九年七月二十日頃白河区裁判所旧庁舎民衆控室ニ於テ債権者高田重以代理人ナル高田嘉一ニ対シ自分カ今回抵当権設定ヲ為シタル債務者斎藤富次本人ナルヲ以テ金千八百円ヲ交付セラレ度旨申欺キ且同人名義ノ金千八百円ノ受取書一通ヲ作成シ同人ヨリ其ノ印章ヲ預リ居タル伊藤筆太郎ヲシテ擅ニ該証書ノ斎藤富次名下ニ右印章ヲ押捺セシメテ偽造ヲ完成シ即時之ヲ右高田ニ提出行使シ恰モ該証書カ真正ニ成立シタルモノノ如ク装ヒ同人ヲ欺罔シ因テ同人ヨリ金千八百円ヲ騙取シタルモノナリ」

右【36】の公訴事実に対し検事は詐欺罪は成立しないとしても、背任罪は構成すると主張したのに対し判決は次のように両者の関係について判断した。

「検事ハ本件詐欺罪ハ成立セサルモ被告人ハ斎藤富次ヨリ委任権限ヲ有スル伊藤筆太郎ヨリ右富次ノ不動産ヲ担保ノ条件ノ下ニ金銭貸借方ノ委任ヲ受ケタルヲ奇貨トシ同人ニ損害ヲ加フル目的ヲ以テ抵当権者高田重以ノ代理人高田嘉一ニ対シ偽造ノ受取書ヲ交付シ右嘉一ヨリ金千八百円ヲ受取リ其ノ中金三百円ヲ擅ニ着服シ因

テ富次本人ニ損害ヲ加ヘタルヲ以テ背任罪ヲ構成スル旨主張スレトモ仮ニ検事主張ノ如キ事実アリトスルモ背任罪ト詐欺罪トハ犯罪ノ性質ヲ異ニシ即チ背任罪ハ任務ニ背キ財物ヲ客体トスル場合ニ於テ本人ニ損害ヲ加フルニ因テ成立シ詐欺罪ハ人ヲ錯誤ニ陥レ該錯誤ニ基キ財物ヲ任意ニ交付セシムルニ因リ構成シ全ク犯罪ノ罪質ヲ異ニスルハ勿論ナルヲ以テ両者ノ公訴範囲同一ナラサルモノト謂フヲ妥当トスヘク又上掲公訴事実ニ徴スルモ検事所論ノ如ク被告人カ任務ニ背キ之カ為富次本人ニ金三百円ノ損害ヲ加ヘタリトノ事実迄モ包含セサルコト洵ニ明白ナリト謂フヘク尤モ恐喝罪ノ公訴ト横領罪ノ認定ニ関スル大審院ノ判例（昭和九年(れ)第六〇五号同年七月六日言渡）ニ依レハ人ヲ恐喝シテ金員ヲ交付セシメタリトノ公訴事実ト同人等ヨリ委託セラレタル該金員ヲ横領シタリトハ被告人カ金百円ヲ不正ニ領得シタル公訴ノ基本事実関係ニ付テハ二者同一ナルヲ理由トシ右公訴範囲同一ナル旨ノ判例存スレトモ本件ト右判例ノ場合トハ著シク相違シ即チ右判例ニ於テハ権限ノ有無ト恐喝ノ点カ相違セルノミニシテ被害者及被害金額ハ同一ナリト雖本件ニアリテハ背任ト詐欺ノ場合ニシテ両者カ上掲ノ如ク根本的ニ罪質ヲ異ニスルノミナラス被害者及被害金額モ全ク相違セルヲ以テ本件詐欺ノ公訴ノ基本事実関係ヨリスルモ両者ノ公訴範囲同一ナリトハ到底断シ難シ然ラハ本件ニ於テハ検事主張ノ背任カ公訴提起ノ範囲外ニ属シ公判裁判所ニ於テ之カ審理ヲ為シ得サルモノト解スルヲ相当トス」（白川区判昭一〇・一二・二八新聞三九五八・一三）

【37】「本件公訴事実ハ……被告人ハ判示松江企業株式会社社長木村景範名義ヲ冒用シ判示証第一〇七号同第一一二号同第六〇号等ノ約束手形ヲ偽造シ真正ナルモノノ如ク装ヒ之ヲ美農嘉四郎等ニ交付行使シ同人ヲ欺キ借用名義ノ下ニ金員ヲ騙取シタリト言フニアリテ原判決ハ之ニ対シ被告人ハ松江企業株式会社ノ支配人トシテ其ノ営業ノ目的ノ範囲内ニ於テノミ社長又ハ支配人名義ヲ用ヰ手形ヲ振出シ得ルモノナルニ拘ラス美農ノ請託ヲ容レ何等ノ対価ヲ得ルコトナク同人ヲシテ手形ノ利用ニ依リテ不当ニ利得セシムル目的ノ下ニ右任務ニ背キ同社長木村景範名義振出若クハ同会社支配人江角大助名義振出ノ判示約束手形ヲ作成シ其都度之レヲ美農ニ交付シ同人ノ手ニ依リ判示ノ如ク各第三者ヲシテ該手形ノ善意取得者タラシムルニ至ラシメ以テ松江企業株式会社ニ右手形額面四千五百三十七円五十銭ニ相当スル手形債務ヲ負担セシメ同額ノ損害ヲ被ラシメタル背任ノ

事実ヲ認定シタルモノナリ従テ前示公訴事実タル有価証券偽造行使詐欺ト原判決認定ノ背任トハ只其ノ態様ヲ異ニスルニ過キスシテ其ノ事実関係ニ於テハ両者同一ナリト謂フヲ妨ケサルヲ以テ云々」（大判昭三・四・一四評論一七下・刑訴二五五）。

【33】ないし【35】の判例については先ず問題がない。被告人の犯罪行為がいずれも共通の方向を持ちまたその内容が共通している事実を訴訟の客体とし、弁論、審理の客体が共通性を有するので、その同一性を認めてよい。

【36】は注意すべき判例である。詐欺と背任とについて「同一性」を否定している。しかし、その理由は専ら刑法上の構成要件の相違及び罪質論に終始している。【37】の判例は、証券偽造行使をも含めて、かなり広範囲に背任と「同一性」を認めている点に注意せられよう。

（二）　財産罪と贓物罪　　財産罪、贓物罪のいずれかが訴訟の客体とされた場合どのような基準で両者の間に公訴事実の同一性を認めるかは問題である。判例は基本的事実説の見地に立つているが、その内容は必ずしも同様ではない。種々なニュアンスが認められる。財産罪と贓物罪とは、通例、先行行為と後行行為との関係で関連しているものであるが、それが訴訟の客体として公訴事実の同一性が肯定されるためには、どの程度に関連性を持つべきであるか問題である。

【38】　「訴因制度を認めた新刑事訴訟法の下においては当初の訴因と変更せんとする訴因とがその構成要件事実において相当程度重なり合つていれば公訴事実の同一性を害さないものと解する。而して本件の場合は『被告人が昭和二十四年二月末日頃甲と共謀の上コールタールを窃取した』との訴因を『被告人は昭和二十四年二月末日頃甲より盗品であるコールタールを故買した』との訴因に変更したのであつて右両者はその犯行の日時、目的物件等において同一であり而も他人の財物を不法に領得する点において共通点を有するから、かか

る訴因の変更は公訴事実の同一性を害しないものということが出来る」（高松高判昭二六・七・三〇刑集四・一二・一五四一）。

【39】「記録によれば起訴状記載の公訴事実は『被告人は朴炳朝、野田某と共謀して強盗をなさんことを企て昭和二十五年五月三十一日午前三時頃八幡市六田町一丁目大西シゲノ方に於て、被告人に於て見張をなし、朴炳朝、野田某に於て右シゲノの長男俊彦当十四年に対し『声を出すと殺すぞ』金はないかと申し向けジャックナイフを突付けて脅迫した上同家六畳の間にあつた布団を右俊彦及び隣の子供立石義隆当十五年に覆せ同人等の反抗を抑圧しラジオ一台、大島袷一枚、錦紗長繻絆一枚等時価一万九千円位を強取したものである』というのであり又原審第四回公判調書によると、検察官は予備的訴因として、『被告人は昭和二十五年五月三十一日午前三時頃、朴炳朝、野田某から賍物たるの情を知りながら、八幡市六田町一丁目井上方附近において、ラジオ一台大島袷一枚錦紗袷一枚（時価一万円位）を受取り八幡市祝町三丁目崔来福方二階に宿泊中の孫俊鉱の居室迄運搬したるものである』旨及びその罰条として刑法第二百五十六条第二項を追加し原審においてこれを許可していることが明かである。そこで右予備的訴因を記録について仔細に検討すると、検察官は本件強盗被告事件の経過に鑑み、被告人において強盗共謀の事実が認められないときは、被告人は朴炳朝、野田某が他家で盗みをすることを知りながらこれに同伴して、大西シゲノ方近隣の井上甚六方附近で待受けており、この間右朴及び野田において大西シゲノ方で強取した物件即ちラジオ一台、大島袷一枚、錦紗長繻絆一枚（予備的訴因には錦紗袷一枚とあるが記録上錦紗長繻絆一枚と同一物件であることが明かである）を被告人が待受けている右井上方附近に持参したのを被告人は該物件が盗賍であることの情を知りながら、右予備的訴因記載通りに運搬したものであるということに関するのであるから、前記起訴状記載の公訴事実と、右予備的訴因とを対照するに右強盗の時と賍物運搬開始の時とは相接し、その犯罪場所は前者は大西シゲノ方で、その後者は原判決の挙示した原審における検証の結果より明かな、同女方と僅かに、五十米位隔つた井上甚六方附近で、しかも被告人は右強取物件を運搬したものであつて、被告人が強盗の共謀により見張りをし、他の共犯者において実行した共同正犯としての公訴事実と、被告人が見張りをしていたという場所即ち右井上甚六方附近で主たる訴因におけ

る共犯者が盗をすることを知りながら待つていて、同人等が強取した物件を待つていた場所から運搬したという予備的訴因とは右諸点においてそれぞれ極めて密接な関係があることが明白である。即ち右両者はその構成要件が全く罪質を異にし且つ、具体的事実は枝葉の点において所論のごとく多少の相違の点はあるが、基本的事実関係において同一性があるものと認めなければならない」（福岡高判昭二七・三・二六刑集五・三・四三六）。

【40】「記録によれば本件起訴状記載の訴因は、（中略）被告人Aは贓物たるの情を知りながら昭和二十三年十月頃被告人Bより小麦粉二十五袋の売渡斡旋方の依頼を受けて之をその頃肩書自宅において青木弥三郎に売却し、以て贓物の牙保をなしたというのであり、これに対し原審第六回公判において検察官が予備的に訴因を追加したところは、（中略）被告人Aは営利の目的で被告人Bより第一記載のように小麦粉二十五袋（一袋二十二瓩入）を法定の販売価格より合計金一万九千六百円を超過する代金三万三千円で買受けたものであるとし、いずれもその罪名を物価統制令違反となしていることは所論のとおりである。（中略）被告人Aについては、本件起訴状記載の基本たる事実関係は同被告人が本件小麦粉二十五袋の売買に関与した事実であり、これを起訴状記載の訴因は、同被告人がその贓物たるの情を知りながら本件小麦粉の売買の斡旋をしたものとし、贓物牙保罪を構成するものとしているのであり、予備的に追加された訴因はこれを右被告人自身において指定価格を超えて買受けたものとしているのであつて、その間に自ら買受けたこととこれを他人に斡旋したこととは事実関係において相違するかのごとくであるが、記録によれば本件小麦粉は被告人Bから被告人Aの手に渡り、次いで同人からこれを前記青木弥三郎に売り渡したことは疑なきところであり、この点につき被告人中村の司法警察員並びに検察官に対する各供述調書の記載によれば同被告人は本件小麦粉は被告人中村においてこれを被告人塚本に売り渡したものであると供述しており、被告人Aの司法警察員に対する第一、二回自首調書及び検察官に対する供述調書の各記載によれば被告人Aは被告人Bから本件小麦粉の売却方依頼を受けてこれを前記青木弥三郎に売り渡した旨供述しているのであつて、検察官は当初この被告人Aの供述に従つて起訴状において同被告人が被告人Bの依頼を受けて本件小麦粉を青木弥三郎に売却したものとし、予備的に追加した訴因

においてはこれを被告人Bの供述するところに従つて被告人Aが本件小麦粉を買い受けたものとしたのであるが、そのいずれにしても、その基本たる事実関係が同一であることについては疑なきところである。したがつて被告人Aについても本件起訴状記載の訴因と予備的追加の訴因との間には、その基本たる公訴事実の同一性を失われないものといわなければならない」（東京高判昭二七・五・二三刑集五・五・八三四）。

【41】「本件が当初窃盗として起訴され、後に賍物運搬として訴因の変更せられたことは所論のとおりである。しかし、その公訴事実としては被告人が昭和二十五年十二月頃松本正次郎と共謀して堺市鳳中町二丁目四八番地中村浅次郎方で自転車一台及びアメ一瓶を窃取したとの事実が、右窃盗は松本正次郎単独の犯行ではあるが、被告人は同日右中村方附近まで松本正次郎と同行し同人の依頼により賍品たる自転車等をその情を知りながら大阪市西成区山上町一丁目一〇番地附近まで運搬したと変更されたにすぎないのである。さればその事実関係は出来事の推移につき多少の異同あるに止まりその同一性を失わないものであることは多言を要しないところである」（最判昭二七・一〇・三〇刑集六・九・一一二二）。

【42】「本件起訴状によるとその公訴事実は、『被告人は氏名不詳の者数名と共謀の上昭和二十四年一月二十三日札幌郡豊平町中の島北海道水産孵化場において同場長新荘富二保管のゴム深沓五十七足及び綿糸五把を窃取したものである』旨及び罪名として窃盗刑法第二百三十五条と記載あり原審第六回公判調書によると予備的訴因及び罰条の追加の内容は『被告人は昭和二十四年一月二十三日午後二時頃札幌市南二条二丁目狸小路上において、住所氏名不詳の朝鮮人某男からゴム深靴五十三足の売却斡旋方の依頼を受け、そのゴム靴が賍物であるの情を知り乍らその頃札幌市豊平三条一丁目道路及びその附近の荒井万根方において朝鮮人金井守京に対し前記ゴム靴を買つてくれと申込みこれが売却方の周旋をなし以て賍物の牙保をしたものである』として、罰条は刑法二百五十六条第二項となつているのである。刑事訴訟法第三百十二条第一項に所謂公訴事実の同一性とは枝葉の点まで同一であることを要せず公訴の基本的事実関係即ち重要な事実関係が同一であれば公訴事実の同一性を害しないものであると解するところ本件の起訴状記載の窃盗の訴因と予備的追加請求の賍物牙保の

訴因に共通の点は、犯罪の時が昭和二十四年一月二十三日であること、犯罪の物体がゴム深靴五十数足であること、犯罪の場所がそれ程遠くないこと、右ゴム靴が不法に領得されたことに被告人の関与した行為が中心問題とされているのであつて、窃盗と贓物牙保との間には事実関係に多少の変動がないではないが、いずれも他人の所有に係る財物に関する犯罪として相互に密接の関係があるので右訴因の予備的追加は公訴事実の同一性を害しないものと解する」(札幌高判昭二八・一一・二七刑集六・一一・七三)。

【43】　「本件の主たる訴因である『被告人は昭和二十八年九月二十一日午前一時頃京都市下京区大宮通り丹波口下る三丁目百二十二番地高木太郎方前路上において同人所有のリヤカー一台(時価一万円位)を窃取した』という事実と、追加された予備的訴因である『被告人は昭和二十八年九月二十一日午前一時頃京都市下京区大宮南入路上で知人藤原ヨシヲより、その盗贓たるの情を知りながら、リヤカー一台(時価一万円位)を預りもつて贓物の寄蔵をなした』という事実との間には、日時の同一、場所的関係の近接性及び不法に領得された高木太郎所有のリヤカー一台に被告人が関与したという事実に変りはないから、右両訴因の間の基本的事実関係は、その同一性を失うものでないと解するを相当とする」(最判昭二九・九・七刑集八・九・一四四七)。

【44】　「本件記録によると、本件は住居侵入、窃盗罪として起訴せられ、原裁判所において審理中、昭和二十四年十二月九日の第八回公判期日において検察官は同日附訴因罰条の変更請求書を朗読し、従前の住居侵入窃盗を撤回して贓物牙保、同故売に変更の請求をし、原裁判所は贓物牙保、並に贓物故売罪として審理判決したこと明らかである。しかして、右起訴状には、公訴事実として、被告人は、第一、昭和二四年二月十日頃より同年三月五日頃迄の間に古宇郡泊村二十八番地内円長三方倉庫内に侵入し、同人所有に係る洋服上衣等十七点を窃取し(中略)たものである旨及び罪名として刑法第一三〇条第二三五条の記載があり右訴因罰条の変更請求書には公訴事実として被告人は第一、昭和二十四年二、三月頃に岩内郡小沢駅から札幌方面に進行中の列車内に於いて氏名不詳の男から依頼を受け即日贓物であることの情を知りながら、窃盗贓品である羽二重友禅反物一反外衣料十一点を小樽市住ノ江町四丁目二番地に於て松本カメ江に対し合計一万円で売却方斡旋

して以て贓物の牙保を（中略）為したものである旨及び罪名として第一の事実は贓物牙保（中略）刑法第二五六条第二項の記載があり、原判決には認定事実として、被告人は第一、昭和二十四年四月初旬頃余市郡余市駅附近を札幌へ向け進行中の列車内で氏名不詳の男子から窃盗贓品である羽二重友禅反物一反外衣料一〇点売却方依頼を受けそれが贓品であるかも知れないと思いながら敢て、小樽市住ノ江町四丁目二番地に於て松本カメ江に買受け方をすすめて承諾させ、両者の間にあつせんして品物及び代金を授受させ、以て贓物の牙保をなし（中略）たものであると認定し刑法第二五六条第二項を適用している。そこで、先ず起訴状記載の公訴事実第一点について原裁判所がなした右のような訴因及び罰条の変更が許されるかどうかについて考えるに、刑事訴訟法第三一二条によれば訴因又は罰条の変更は公訴事実の同一性を害しない限度において許されるのであるが公訴事実の同一性を害しない限度というのは、その基本的事実関係が同一と認められる場合をいうものと解する。しかして起訴状記載の公訴事実、第一の基本的事実関係は被告人が内田長三所有の洋服上衣等十七点を不法に領得した事実であるが、訴因罰条の変更請求書記載の公訴事実第一、及び原判示第一の事実は氏名不詳者が松本カメ江に対し、右物品を売却するに際し、その斡旋をした事実であつて右起訴状記載の公訴事実第一とその基本的事実関係は同一でない」（札幌高判昭二五・六・六刑集三・二・二一六）。

【45】「本件においては起訴状記載の訴因及び罰条は『被告人は昭和二五年一〇月一四日頃、静岡県長岡温泉古奈ホテルに於て宿泊中の大川正義の所有にかかる紺色背広上下一着、身分証明書及び定期券一枚在中の豚皮定期入れ一個を窃取したものである』（刑法二三五条）というのであつて、（中略）予備的に追加された訴因及び罰条は『被告人は贓物たるの情を知りながら、一〇月一九日頃東京都内において自称大川正義から紺色背広上下一着の処分方を依頼され、同日同都豊島区池袋二丁目一〇三四番地山田惣悟方に於て金千円を借受け、その担保として右背広一着を質入れし、以つて贓物の牙保をなしたものである』（刑法二五六条二項）というのである。そして、右予備的訴因において被告人が牙保したという背広一着が、起訴状記載の訴因において被告人が窃取したという大川正義所有の背広一着と同一物件を指すものであることは、本件審理の経過に徴し、

極めて明らかである。従つて、右二訴因はともに大川正義の窃取された同人所有の背広一着に関するものであつて、ただこれに関する被告人の所為が窃盗であるか、それとも事後における賍物牙保であるかという点に差異があるにすぎない。そして、両者は罪質上密接な関係があるばかりでなく、本件においては事柄の性質上両者間に犯罪の日時場所等について相違の生ずべきことは免れないけれども、その日時の前後及び場所の地理的関係とその双方の近接性に鑑みれば、一方の犯罪が認められるときは他方の犯罪の成立を認め得ない関係にあると認めざるを得ないから、かような場合には両訴因は基本的事実関係を同じくするものと解するを相当とすべく、従つて公訴事実の同一性の範囲内に属するものといわなければならない。本件の如き場合において、公訴事実の同一性なしとするにおいては、一方につき既に確定判決があつても、その既判力は他に及ばないと解せざるを得ないから、被告人の法的地位の安定性は、そのため却つて脅されるに至ることなきを保し難い」（最判昭二九・五・一四刑集八・五・六七六）。

以上の判例のうち、特殊なものとしては、【38】の判例である。構成要件事実として相当程度に重なり合うことを「同一性」の評価の基準としている点、構成要件共通説の見地に立つているものということができよう。ところが、また一面において、日時、場所、目的物、財物の不法領得等の共通性に「同一性」の基準を求めている。そこでは伝統的な基本的事実説の見地にも立つているものと思われる。【39】の判例は、両訴因事実の緊密な関連性を詳細に考察している。本事案のように、第一次訴因と予備的訴因とで、被告人が先行行為（本犯）にもある程度関係した上で、後行行為（賍物罪）を行つたという事実関係にある場合は、両事実は被告人の犯罪行為として共通の方向を持ち、共に具体的な弁論においてその客体となりうる可能性があること明かである。従つて事実の同一性を認めうる顕著な事例ということができる。

【40】の判例は、賍物牙保の行為と物価統制令違反の行為との「同一性」に関するものである。「同一性」を認めるについては微妙なケースではあるが、本事案のような場合は「同一性」を認めてよいと思われる。

【41】の判例は、「出来事の推移につき多少の相異あるに止まる」として、「同一性」を肯定している。犯罪現象の発展という立場から現象的に考察し、規範的な考察がなされていない点に特色がある。

【42】【43】の判例については、伝統的な基本的事実説が踏襲されたものであり、その内容につき特に批判を加える必要をみないであろう。【44】の判例は注意すべき判例である。判例は、窃盗の事実と賍物牙保の事実について「同一性」を否定しているが、その理由は必ずしも明瞭ではない。賍物牙保の事実に、氏名不詳者が介在していることに重点を置いているようである。しかし、何故に氏名不詳者が介在することによつて、「同一性」が失われるのか、氏名不詳者の介在が「同一性」の判断にどのような影響を持つのか、その理由が示されていない。実は、かような点の吟味が、従来、展開されきたつた基本的事実説の反省にとつて重要な意義を持つのである。窃盗罪と賍物罪とは、刑法上、いわゆる先行行為と後行行為との関係で関連性を有するものではあるが、そのことから直ちに、訴訟の客体の同一性の判断に飛躍されてはならない。訴訟の客体という場合は、被告人の一定の Tat と Täterschaft とが内容とされるものであり、被告人のかような具体的な行為内容について訴訟法上、同一の弁論、審理の客体として取扱うことができるかが、その「同一性」の問題である。特定しがた

い氏名不詳者の介在は、両者の事実について被告人の関与性及び行為の関連性を具体的に判断する上に重要な意味を持ち、従つて、訴訟客体の同一性に影響を持たざるを得ないわけである。結論としては本判例は妥当ということができよう。

【45】の判例は、「一方の犯罪が認められるときは他方の犯罪の成立を認め得ない関係にあると認めざるを得ない」ことを基準として「同一性」の有無を判断している。訴訟法的な考察がなされていることに注意せられよう。右の判例の趣旨は、おそらく、公訴権の内容の充足ということを「同一性」の判断の基準としているのであろう。それは、「同一性」の基準として欠くことのできない重要な要素である。

贓物罪と他罪との「同一性」につき、窃盗、強盗殺人と贓物罪の行為とでその「同一性」を否定したものとして次の判例がある。

【46】　「被告人福三に対する公訴事実は、窃盗、強盗殺人として原裁判所に起訴せられ、次いで右強盗殺人の事実につき贓物収受の事実が予備的訴因として追加せられ、原裁判所はこれを容れて、同被告人に対しては強盗殺人の事実につき判示することなく、贓物収受の事実を認定判示したこと所論のとおりである。論旨は右強盗殺人の事実と贓物収受の事実との間に事実の同一性を欠くと主張するので、案ずるに、公訴事実の同一性とは犯罪の基本的事実関係即ち、犯罪の日時、場所、方法、被害法益等において、一個の事実として認めうる範囲をいい、必ずしも厳格にすべてが同一でなければならないというものでないこと、被告人福三の弁護人の控訴の趣意につき説明したとおりであるが、いま本件において強盗殺人の事実と贓物収受の事実とについてみるに犯罪の日時、場所において必ずしも大差ありとはいえないにしても、贓物罪は事後従犯といわれているよ

らに強盗殺人の犯行後に行われるものであるから、その日時、場所は自ら異るものというべく、また犯罪の方法、被害法益の全然相違することと多言を要しないから、その間には公訴事実の同一性を欠くものといわなければならない」（広島高判昭二六・七・一一刑集四・八・九五五）。

なお、財産罪と贓物罪との同一性について、旧法事件の判例をあげられよう。

【47】 起訴事実「被告人ハ昭和十四年十月二日川口市本町四丁目百八十七番地福田安次方東側露地ヨリ同人所有ノ婦人用自転車一台ヲ窃取シタリ」

原審判決事実「被告人ハ昭和十四年十月二日午後六時過頃川口市省線川口駅東口売店附近ニ於テ予テ浦和刑務所ニ服役中顔見知トナリタル氏名不詳ノ男ヨリ贓品タルノ情ヲ知リ乍ラ婦人用自転車一輛ヲ代金二十五円ニテ買受ケ以テ贓物ノ故買ヲナシタリ」

判決理由「本件公訴ニ係ル所論窃盗罪ト原判決カ認定シタル贓物故買ノ罪トハ孰レモ被告人カ他人所有ニ係ル同一物件ヲ同一日時ニ取得シタル事実ニ関スル犯罪ニシテ其ノ基本的事実関係ニ於テハ両者相異ルトコロナシ従テ原審カ右公訴事実ニ付審理ノ結果判示贓物故買ノ事実ヲ認メ判示法条ヲ適用処断シタルハ正当ニシテ云々」（大判昭一五・一〇・三三評論三〇刑訴六三）。

【48】 「公判請求書に記載された犯罪事実は『被告人Aは静岡県浜名郡積志村西ケ崎日本通運株式会社西ケ崎出張所倉庫より国有綿を窃取せんことを企て其の実行者として被告人B、C、D等を選択し、同被告人等に対し右国有綿を窃取し来らば自己に於て之が処分は引受ける旨申向けたるに、右被告人等は之を諒承し、茲に被告人四名は共謀の上、昭和二二年八月二六日被告人B、C、Dに於て右日本通運株式会社西ケ崎出張所倉庫に於て同出張所責任者平野猪三郎保管に係る国有綿糸二十番手八俵及び中古リヤカー一台を窃取したるものなり』というのであり、原判決の認定した事実は『被告人Aは原審相被告人B、C、D等が昭和二二年八月二六日頃静岡県浜名郡積志村西ケ崎所在日本通運株式会社西ケ崎出張所倉庫から窃取して来た国有綿糸二十番手の

もの八俵の内約六俵をその盗品たる情を知り乍ら右B等の寄託を受け同年九月初旬頃同村西ケ崎一八二番地なる被告人自宅に蔵匿し以て贓物を寄蔵した』というのである。

さらに両者の関係を検討しよう。公判における審理の経過に徴すれば被告人に対する起訴の意味するところは被告人は公判請求書記載のごとく他の共犯者等と本件窃盗について共謀したが、窃盗の実行行為を分担しなかつたのを、実行行為をした他の共犯者と共に共同正犯として起訴されたものであることは明白であり、次に原判決の判示事実を挙示の証拠によつて理解するに、被告人は公判請求書記載のごとく窃盗の共同正犯として責を負うに足る共謀に加つたのではないが、当時共犯者等が判示の日本通運株式会社西ケ崎出張所倉庫にて国有綿を盗むことを予て諒承していたものであつて窃盗後、程経ずして盗品の一部を被告人宅に蔵匿して贓物を寄蔵したというのである。この両者に共通する事実として昭和二二年八月二六日静岡県浜名郡積志村西ケ崎所在日本通運株式会社西ケ崎出張所倉庫を関係場所として同出張所所有の国有綿糸八俵が不法に領得されたことに被告人が関与した点であつて、両者は互に密接な関係を有するのであり、起訴は被告人と共犯者との間の相談を共謀と認めて窃盗罪としたのに反して、原審はこれを共謀に至らずとして贓物寄蔵罪と断じた差異があるのみである。之を要するに両者は基本的事実において同一性を保持しているものである」(最判昭二六・五・一一刑集五・一〇九)。

五 同種の犯罪事実間における「同一性」

代表的な判例をあげれば次の通りである。

【49】 「検察官より本件公訴事実中『被告人両名は通称小桜、竹馬、吉村宏と共謀の上、昭和二十五年七月八日午前七時五十分頃大津郡深川町湯本駅下りホームに於て正明市行列車に乗車せんとする氏名不詳乗客より金員を窃取せんとしたるもその目的を遂げなかつたものである』とあるのを『被告人両名は通称小桜、竹馬、吉村宏と共謀の上、若しくは被告人沖野菊治は吉村宏と共謀の上、昭和二十五年七月八日午前八時頃大津郡深

川町正明市駅陸橋に於て氏名不詳の降車客より金員を窃取せんとしたるもその目的を遂げなかつたものである』と訴因を変更せんことを申告し、裁判官之を許容したことは記録上明らかである。そこで右訴因変更の適否について考えて見るに、訴因の変更は公訴事実の同一性を害しない限度においてのみ許されることは刑事訴訟法第三百十二条第二項の定めるところであるが、右変更前と後の各訴因を比較して見るにその犯行の時間こそ僅か十分間の差に過ぎないが場所は湯本駅と正明寺駅とで全く異つて居り、且被害者は『某』と特定していないのであるからこの二つは全く相異つた事実であつてその間には同一性は認められないと言わねばならない」(広島高判昭二六・八・二一 刑集四・一一・二三四四)。

【50】「起訴状記載の公訴事実中、㈡は被告人が昭和二十四年八月下旬頃東京都内渋谷公会堂において明治大学生のパーティが催された際その席上において同大学生金子隆二に対し『おい先日は悪かつたな、金は確かに貰つたが今日は亦友達といつしよに一杯飲むんだから、出来るだけ金を都合しろ、それとも嫌か』等申向けて睨みつけ、若しこれに応じないならば身体に如何なる危害を加えるかも知れないという気勢を示し、同人を畏怖させ即時同人より現金二千円を交付させてこれを喝取したものであるというにあるところ……検察官から右起訴状記載の公訴事実㈡の二千円を千円と変更し、新に公訴事実㈢として、被告人は昭和二十四年九月中旬頃銀座で偶然出会つた金子に対し、『この間は悪かつたなあ、銀座へ来たら俺の所(オアシス・オブ・銀座ホール)に寄つて行け。金を貸してくれ、無ければ友人から借りてくれないか』等と申向け、若しこれに応じないならば、身体に如何なる危害を加えるかも知れないという気勢を示し同人を畏怖させた上、千代田区神田駿台倶楽部において現金千円を交付させてこれを喝取したものであるとの事実を追加する旨を申立て……原審は……検察官の訴因変更の申立を許可した……。(中略)原審における右変更前の訴因と変更後のそれとを比較検討するに、その㈡はいづれも日時、場所、犯行態様、被害者が全く同一であり只被告人の喝取したとする金員が二千円と千円の差異あるに過ぎないことが認められるのであるから、基本たる事実関係が同一であり、㈡の訴因の変更は公訴事実の同一性の範囲内になされたものということができる(中略)けれども、変更後の㈢の事

実は、変更前の㈡の事実と犯行の日時については昭和二十四年八月下旬頃と同年九月中旬頃との相違があり、場所も東京都内渋谷公会堂と、東京都内銀座及び千代田区神田駿台倶楽部の相違があり、被害者を畏怖させた脅迫文言を異にし、喝取したとする金員も二千円と千円の差異があり、只被害者と現金不法領得の方法を同じくしているのみであることを認めることができるのであるから、右㈢の事実の追加は変更前の㈡の事実と全く相異つた事実の追加であつて両事実の間に基本たる事実関係の同一性は認められないものといわなければならない」（東京高判昭二七・七・三〇刑集五・九・一五二六）。

【51】「本件記録に基き考察するに、前記起訴状記載公訴事実第四の㈡は『被告人は昭和二十七年十月一日施行の衆議院議員総選挙に高知県より立候補した依光好秋の当選を得しめる目的を以て同候補者の選挙運動者市原幸三に対し同候補者のため投票並に投票取纏め等の選挙運動を依頼しその報酬として同年九月二十四日頃高知市播磨屋町百十三番地白石万次方選挙事務所において金九千円を供与したものである』との訴因であるところ、……検察官の請求により追加された予備的訴因は『被告人は（中略）依光候補者の当選を得しめる目的を以て昭和二十七年九月二十四日前記選挙事務所において市原幸三に対し選挙人であり且つ選挙運動者である山本隆をして右候補者のため投票並に投票取纏め等の選挙運動をなさしめること並びにその報酬として金九千円を供与する情を打明けその承諾を得て右金員を託し茲に被告人は右市原と共謀の上同人において同日高知市蓮池町高知県物産協同組合で右山本に対し前記趣旨の依頼をなしその報酬として金九千円を供与したものである』と謂うのであり右両個の訴因は供与の相手方、供与の場所、単独犯か共犯か等の点につき相違のあること所論の通りである。しかし二つの訴因が公訴事実の同一性を有するか否かは基本的事実関係が同一であるか否かによつて決すべきであり、基本的事実関係が同一であるか否かはその各訴因を構成する重要な事実が或程度重なり合つているか否かによつて決すべきものと解するところ、前記両個の訴因を比較するに供与の目的物即ち金九千円は両者同一の金員であるのみならず、『被告人が昭和二十七年九月二十四日頃高知市播磨屋町百十三番地白石万次方依光候補選挙事務所において市原幸三に対し金九千円を手交した』という社会的事実におい

て両者共通であり、たゞ主たる訴因はこれを市原幸三に対する九千円供与としたのに対し、予備的訴因は山本隆に供与するため市原幸三に九千円を託したものと観ているに過ぎない。従て前記両個の訴因は基本的事実関係において同一であり、公訴事実の同一性を失つていないものと謂わなければならない」（高松高判昭二九・四・一三刑集七・六・八一一）。

【52】「本件起訴状には被告が原判示日時場所で右脅迫行為をなし更に右暴行傷害行為に出でた旨の記載があつて、脅迫傷害として起訴された訴因事実を原判決が前記の様に傷害脅迫と順序を変えて認定していることは所論の通りであるが、原判決は起訴された訴因と全く同一の訴因を認定したものであつて、右の様に脅迫傷害として起訴されたものを順序を変えて傷害脅迫と認定することは公訴事実の同一性を害するものでなく、また訴因の変更手続を必要とするものでもない」（東京高判昭二八・一一・一〇刑集六・一二・一六六五）。

【53】「被告人両名に対する本件起訴状の公訴事実を見るに、三個の併合罪を明記し、各罪とも、日時、場所を異にして居て、その内容は、安藤十四子、藤田四郎、柴田一三の三名に対し、各別に、シンガーミシン会社の登録商標であるＳＩＮＧＥＲに類似する商標を使用した同社製品に類似した裁縫用ミシンアームベット各一個を交付したと謂うにあつたところ、検察官は、……右訴因を予備的に変更し、その訴因は『昭和二十三年四月頃、名古屋市西区庄内通り一丁目二十一番地において、太田好男に対し、シンガーミシン会社の登録商標であるＳＩＮＧＥＲに類似する商標を模造せしめる目的を以てその模造の用に供する他人の登録商標と類似の商標の転写マーク一枚を交付したものである』と謂うにあつて、起訴状記載の公訴事実と前記予備的訴因の事実とは、同一事実であるとは認め難い。即ち予備的訴因によつて表示せられた犯罪は起訴状記載の公訴事実に表示せられた犯罪の準備的行為に該当するもので、その行為が一般に起訴状記載の犯罪事実に包含せられるものと認めることは出来ないもので、全く別個の事実関係に基くものである」（名古屋高判昭二六・四・七刑集四・四・三八八）。

右の各判例はいずれも妥当な結論を導いている。【49】の判例は、被害者の不特定を主たる理由に「同一性」を否定している。すり犯のように、瞬間的に技術的に人の所持物件の奪取を内容とする窃盗犯にあつては、被害者の特定は犯罪行為の共通性を決定する上に重要である。被害者の不特定の場合は犯罪行為の具体的な緊密な関連性が認め難く、従つて公訴事実の同一性は否定されよう。【50】の判例に示されているような事案についても同様である。

【51】の判例は、選挙違反事件相互の「同一性」に関するものであるが、両事実間に犯罪意思ないし行為の計画性に共通方向がみられ、また行為そのものにも密接な関連性がみられる。【53】の判例は、公訴事実の同一性を否定したものである。問題とされている犯罪行為について、主観的にも客観的にも緊密な関連性が認め難い事案である。ただ、【53】の判例中に表現されている「準備的行為に該当するもので」との理由にはやや不充分さがある。準備的行為である場合は、一般に先行行為と後行行為との関係で、共通の目標を持つた緊密な関連関係にある場合が多いので、却つて「同一性」が肯定される傾向にある。

六　その他の事例（主として特別法犯）

刑法犯と特別法犯、特別法犯相互とでは、それが訴訟の客体とされた場合、一般に弁論・審理の客体として共通性を持たないことが多く、また、犯罪行為そのものとしても共通の方向を有しないことが多い。判例は、この種の事例についても基本的事実説の立場から「同一性」を判断している。「同一性」を否定している。事例が比較的に多くみうけられる代表的な判例をあげよう。

【54】　「地代家賃統制令違反の訴因と昭和二十二年勅令第九号違反の訴因との間に公訴事実の同一性があり

や否やにつき考察するに、公訴事実の同一性とはその基本である事実関係において同一であることを意味するものと解すべきところ、右両訴因の事実関係を比較対照すれば、両者はたまたま契約の当事者、日時、場所および、部屋を提供する点において符合するところがあるが、その基本となる点においては前者は一日二百円の賃料で二階三畳の間一室を貸すことを約したという事実で後者は売淫をさせ利益を四分六分の割合で分けることを約したという事実で基本的には両者は明らかに各別個の事実関係を形成しているものというべきであるから右両訴因の間には公訴事実の同一性はないと解するのが正当である」（札幌高判昭二六・一〇・一八刑集四・一一・一四〇二）。

【55】「本件被告人両名に対しては最初検察官から賍物運搬の事実について公訴提起がありその後差戻前の第一審において右賍物運搬から食糧管理法違反の事実へと訴因罰条の変更があつたところ、差戻後に於て再び訴因を変更し、食糧管理法違反から最初の賍物運搬の訴因へと復したものである。しかしこの両者はその日時、場所が同一であるし、その方法においても一は主食である米麦を運搬したという食糧管理法違反の事実であり、他は賍物である米麦を運搬したとの賍物運搬の事実であり、基本たる事実関係において両者の間に差異を認められないから、公訴事実の同一性を害する虞はなく、右訴因の変更はいずれも許さるべきものといわなければならない。所論第一は二度目の訴因変更は最初の訴因変更を取消したものとし、かかる訴因変更の取消しは違法と主張するのであるが理由がない。次に所論は右食糧管理法違反の罪と賍物運搬罪とは構成要件が異るしその罪質も違つているから訴因の変更は公訴事実の同一性を害すると主張するが、構成要件が違つているからこそ、訴因を変更する実益があるのであり、構成要件が同一でなければ公訴事実の同一性を害するというのは理由がないし、罪質が違うからとて公訴事実の同一性を害するものとはいえない」（東京高判昭二八・五・七刑集六・五・六九二）。

【56】「本件起訴状には公訴事実として被告人は外数名と共謀の上昭和二十五年三月二十七日徳山市大字湯野字火の口湯野農業協同組合家畜市場入口に於て通行人に対し予て作成しておいた大きさ約一寸四、五分の紙片に二、三、四、五の数字の分らない程度に丸めて紙玉数十個としたものを取混ぜ箱の上に並べおき又別に一の

数字を記入した紙玉を作つておいたものを恰も前記の紙玉中に混入するように装いその実巧に手中において他の数字を記入した前記紙玉と取替えその所在が不明にならない程度にこれに混入して見物人をしてその混入した紙玉が真に一の数字の紙玉であると誤信させたる上金員を賭けさせ一の数字の紙玉を当てた者に対しては被告人からその賭金二倍に相当する金員を与え、若し他の紙玉を当てた時はその賭金を被告人の取得とする俗に『モミ』と称する詐欺賭博の方法で見物人に勝負を申入れ他の外数名は『桜』の役をなし折柄来合せた神田英雄に対し前記の手段により勝負をさせ同人をして勝負に負けたものと誤信せしめ因て二回に亘り即時同人をして賭金名義のもとに合計金二千百円を交付せしめてこれを騙取したものであるとの事実及びその罪名として刑法第二四六条の詐欺罪が記載されておるのに、原判決は被告人は昭和二十五年三月二十七日徳山市大字湯野字火の口湯野農業協同組合家畜市場入口において折柄同所に来合せた神田英雄と共に大きさ約一寸四、五分の紙片に二から五迄の数字を記入してこれを丸めた紙玉数十個の中に別に一の数字を記入して丸めた紙玉一個を混入し所携のピンセットにてこれ等を押して僅かに移動せしめた上右一の数字を記入した紙玉を拾い当てる方法による俗に『モミ』と称する賭銭博奕をなしたものであるとの事実を判示事実として認定しこれに対し刑法第一八五条の賭博罪の法条を適用処断しておることは弁護人所論のとおりである。しかしながら右起訴状記載の公訴事実と原判示認定事実とを比照してみるのに右は執れも被告人も犯行の日時も場所もすべて同じであつて唯犯罪の方法が起訴状記載の公訴事実は俗に『モミ』と称するを詐欺賭博の方法で騙取したというのであるのに対し原判示事実は俗に『モミ』と称する賭銭博奕をしたと云うにすぎないのである。しかもその二つの方法は共に俗に『モミ』と称する賭博の方法（この方法は賭博の方法として裁判上顕著なる事実である）を用いて金銭を取得したものでありその上これを使用した器具も賭銭も又被害者も総て同じであることが認められるのであるから起訴状記載の公訴事実と原判決認定事実とはその基本的事実関係すなわち主要な事実関係が同一であつて犯罪事実の同一性は失われていないのである」（広島高判昭二六・八・二三刑集四・一一・一三五五）。

【57】「本件起訴状には第二の犯罪事実として被告人が古物商を営んでいる者であるが昭和二五年五月初頃

から同年九月初旬頃までの間八回に亘り片山正信から提時計外二三点を買受けながらこれを所定の帳簿に記載しなかつた事実及び罰条として古物営業法第二九条第一七条をそれぞれ掲げているのであるが、検察官は原審第三回公判期日において右本来の訴因に対し予備的訴因として被告人が古物商免許を受けずして前記期間に八回に亘り片山正信から提時計外二三点を買受けて古物営業をなした事実及び罰条として同法第二七条第六条を追加したところ、原審はその予備的訴因を認めて被告人に対し有罪の判決をなしたのである。しかし、右本来の訴因は被告人が古物営業者であることを前提として該営業者としての義務に違背し帳簿に所定の事項を記載しなかつたという不作為を犯罪事実とするものであるに反し予備的訴因は被告人には古物営業をする資格がないに拘らず積極的に古物営業をなしたという作為を犯罪事実とするものであつて両者の基礎的事実を共通にするものとは認め難く犯罪の構成要件を全く別異にするものであるから原審における前記予備的の訴因は公訴事実の同一性を害するものといわねばならない」（大阪高判昭二七・六・二三刑集五・六・九七五）。

【58】「被告人両名の所為は原審に於ける審理の経過に徴すれば商法第四百八十九条第三号の会社の取締役が法令又は定款の規定に違反して利益又は利息の配当を為した罪にも該当するかの様であるが右会社財産を危くする罪と本件公訴に係る業務上横領の罪とは其の犯罪の構成要件を異にし前者は法令又は定款の規定に違反することを絶対の要件とし従つて之を充足する行為の態容も自ら異なる場合あるに拘らず本件起訴状に於ては被告人の所為が法令又は定款の規則に違反したことに付何等言及しておらないから事実の同一性を害することなくして訴因罰条の変更は許容されないものと云わねばならない」（名古屋高判昭二七・八・二五刑集五・一一・一七七二）。

【59】「本件起訴状の公訴事実として掲げられた訴因は『被告人は昭和二八年四月三日福田四郎の被告人に対する貸金債権に基く強制執行として右福田の委任を受けた福岡地方裁判所執行吏池田義郎より肩書自宅に於て冷蔵庫等十四種目八十二点の有体動産の差押を受け同日右差押物件は同年四月一一日競売に附するまで被告人に保管を命ぜられ右執行吏のため自宅に於て右物件を預り保管中競売を免れるため之を処分しようと企て自宅に於て同月七日頃右保管を命ぜられた物件中陶器火鉢一個、掛布団敷布団各一枚を田中君子に、座布団五枚、

テーブル一個を大岩四郎に、冷蔵庫一個を野村基一に、同月一〇日パチンコ機械五〇台を堤新六に夫々譲渡して持出させ以て公務所より保管を命ぜられた右物件を横領したものである』（罰条刑法第二五二条第二項）というのであり検察官が（中略）予備的追加請求として陳述した訴因は昭和二八年九月三〇日附訴因罰条の予備的追加請求書に掲げられたとおりで、『被告人は福岡地方裁判所執行吏池田義郎が福岡法務局所属公証人松井善太郎の作成に係る福田四郎の被告人に対する消費貸借公正証書の執行力ある正本第八一〇二七号に基いて昭和二八年四月三日被告人の肩書自宅でなした差押物件について標示をなし被告人をして保管せしめておるうち同年四月七日頃右保管を命ぜられた物件中陶器火鉢一個掛布団敷布団各一枚をその所有者田中君子に、座布団五枚テーブル一個を同大岩四郎に、冷蔵庫一個を同野村基一に、同月一〇日頃パチンコ機械五〇台を同堤新六に返すため搬出し以て右執行吏の施した差押の標示を無効ならしめたものである」（罰条刑法第九六条）というのであつて（中略）両者何れも昭和二八年四月三日被告人はその自宅で福岡地方裁判所執行吏池田義郎から差押を受けその保管を命ぜられ同執行吏のため之を預り自宅に保管する物件中の一部を擅に同月七日頃と一〇日頃に前記田中君子外三名の者に夫々持出さしめたという被告人の行為が中心問題とされているのであり出来事の推移につき多少の異同があるとはいえその基本的事実には変動がないので本位訴因と予備的訴因とは公訴事実の同一性を失わないものということができる」（福岡高判昭二九・四・一五刑集七・四・五五四）。

右の判例のうち、【55】は賍物罪と食管法違反との「同一性」に関する事例である。本件については財産罪と賍物罪のように、行為相互においていわゆる Vorfeld と Nachfeld との関係はない。しかしそれ以上に緊密な関係にある行為間の「同一性」に関する事例である。即ち、両行為は、被告人が同一の客体である米麦の違法な運搬を行うということを内容とする点で、行為の目標が共通し、行為そのものも共通している。弁論の客体が共通することによつて、弁論・審理そのものも共通の内容能性が認められるので、両者の事実に「同一性」を肯定してよいであろう。

【56】の判例は、詐欺賭博と詐欺との間の「同一性」に関するものである。両事実について被告人の行為が主観的に客観的に共通の内容を持つているので、「同一性」の認められる典型的な事例である。

【57】の判例は、古物営業法違反である帳簿不記載の行為と無免許営業の行為との「同一性」を取扱つたものである。判例は両事実について「同一性」を否定しているが、その判断には疑問がある。本件の帳簿不記載の行為と無免許営業の行為とでは、個別的に観察すれば種々な点で相違している。かような見地からみれば、「同一性」は否定されるかのように思われる。しかし、本件は、いわゆる営業犯の部類に属する事案であつて、営業犯については特に包括的な考察が必要である。そのことは、訴訟の客体の「単一性」の問題についていえるばかりでなく、「同一性」についてもいえることである。帳簿不記載の行為は、営業を前提とし営業の一かんとして行われるべきものであつて、無免許営業の行為とは一体の関係にある。一方の事実が訴訟の客体として裁判があれば他方の事実については新たに訴訟の客体として問題にし得ないという関係が認められはしないか。「同一性」の判断につき判例は、作為と不作為との相違に主たる標準を置いている。

【59】の判例は、横領と封印破毀との「同一性」に関する事例である。両事実は、共に執行吏から保管を命ぜられた財物に対する違法な処分行為に関するものであり、行為の目標及び行為自体に訴訟の客体として共通性が認められる。従つて、「同一性」を肯定した判例の結論は正しい。

公訴事実の同一性の問題は、同一訴訟手続における訴因相互、及び訴因と判決間に生ずるばかりでなく、別個の訴訟手続において、確定判決のあつた犯罪事実と新たに公訴提起された犯罪事実とについてもまた生ずる。後者は事例としてははなはだ少いが、重要性は前者の場合におとらない。前者の場合と後者の場合とで、「同一性」の基準を異にすべきであるとの見解がある(例えばペーテルス)。わが判例上では、前者と後者とで同一性の基準を特に区別していない。事例としては、僅かに、二件のみをあげうるに過ぎない。

第一の判例は、銃砲等所持禁止に違反する事実相互の同一性に関するものである。本件のように銃砲等所持禁止の違反についての行為は、その行為の共通性を決定するについて、特に行為の客体の特定性、共通性ということが重要な意味を持つている。当事者の弁論及び裁判所の審理もまたかような点に集中される。行為の客体の相違は直に当事者の公訴権、弁護権に影響する。本件は、行為の客体の相違を認めて両者の事実について「同一性」を否定している。判例の見解は妥当である。

【60】　「被告人鍵本丸人に対する本件銃砲等所持禁止令違反の公訴事実(第一審判決第四の事実)は、同被告人が昭和二十四年四月上旬頃から同年十一月九日迄の間呉市阿賀町字大入、駿賀産業株式会社水餄工場倉庫内において刄渡り約三十五糎の日本刀及び刄渡り約六十七糎の日本刀各一振を所持していたというのであるが当裁判所が職権を以つて調査すると、これより先同被告人は昭和二十四年四月三日呉市阿賀町冠崎、冠崎青年会館附近で日本刀二振(刄渡り約一尺八寸のもの一振、刄渡り約一尺三寸のもの一振)を所持していたという

事実について、銃砲等所持禁止令違反事件として公訴の提起を受け、昭和二十四年四月二十七日広島地方裁判所県支部は、右公訴事実を認定し、同被告人に対し、懲役三月（但し、二年間執行猶予）に処する旨の判決を言渡し、同被告人は右判決に対し控訴を申立てたが、同年十一月十二日広島高等裁判所は右控訴を棄却する旨の判決を言渡し、之に対する上告の申立なくここに右第一審判決は確定するに至つたものである。そこで、所論の如く昭和二十四年四月上旬頃から同年十一月九日迄の間の本件日本刀二振の継続的所持の状態がその一部において、先に確定判決を受けた昭和二十四年四月三日における日本刀二振の所持と相い重複し前者の所持の中に後者の所持が含まれているかどうか、換言すれば両事実の間に公訴事実乃至訴因の同一性があるかどうかについて審究すると、本件日本刀二振中短刀は刄渡り約三十五糎即ち約一尺五寸長刀は刃渡り約六十七糎即ち約二尺二寸一分であるが、確定判決における日本刀二振は前示の如く短刀は刄渡り約一尺三寸、長刀は刄渡り約一尺八寸であつて、いずれもその長さにおいて相当の差異があるばかりでなく、本件における第一審公判廷において確定判決における日本刀二振の所持の事実に関する被告人の司法警察員に対する供述調書各一通について適法な証拠調が施行された直後被告人は裁判官の質問に対し、『その刀は海に捨てました。発見されるまでに海に捨てました。』と供述し、次いで裁判官が、その刀は本件で現在押収されている刀とは別の物かと重ねて念を押して質問したのに対し、『別のものです。』と明確に供述しており、更に、確定判決における日本刀二振の所持は、昭和二十四年四月三日被告人の友人山岡某が冠崎青年会館附近において隣村の青年と喧嘩し、日本刀で斬られたとの通報を受けるや、被告人において日本刀二振を携帯して、右青年会館に赴いた時の所持が審判の対象となつたものであるのに反し、本件日本刀二振の所持は、長期に亘り駿賀産業株式会社水飴工場倉庫内に隠匿していた所持が審判の対象となつているものであるから、以上二つの事実の間に、所論の如き公訴事実の同一性を認めることができない。従つてまた訴因の同一性も認められないといわなければならない」（最判昭二八・一一・二七 刑集七・一一・二三四四）。

失火と放火幇助との公訴事実の同一性に関する判例がある。失火の行為については、既に確定判決があり、その後、同一被告人が重ねて同一内容の火災についての放火幇助で起訴せられた。両者の事実の同一性が問題とされている。

【61】「本件記録によつて見るに、被告人Aに対する公訴事実は、被告人B、C等が本件工場に放火するに際り、昭和二十三年十二月二日夜間工場の宿直員であつたが、Bより当夜の放火の計画を打ち明けられて、当夜情を知らない宿直員犬塚正を放火現場である同工場から誘い出して遊興するよう命ぜられるや、その情を知りながら、右犬塚を伴つて同夜工場を抜け出し、Cの放火を容易ならしめ、以て幇助をなしたというのであり原審は、これに対し同被告人は、昭和二十四年十二月八日西尾簡易裁判所において、本件工場の出火に関し、失火罪により罰金千円の判決を受け当時右判決が確定しているとの理由で、免訴の言渡しをなしたのである。これに対し、所論は、両者の公訴事実には、同一性がないのに、本件幇助の公訴事実に対し、免訴を言い渡したのは、不当であるというのである。

よつて、被告人Aに対する確定裁判の失火罪の公訴事実を見るに、『被告人A、犬塚正の両名は、いずれも幡豆郡一色町大字味浜字北乾地四十七番地大洋製油株式会社の工員であつて、昭和二十三年十二月二日夜共同して宿直勤務中、右会社工場事務室において、同夜九時頃から煉炭火鉢に多量の木片及び木炭を使用して暖をとつていたのであるが、その際数回飛火した事例もあり且現場はその火鉢に接近して菜種入叺、書類、用紙……等各種多量の可燃物が存置してあり、斯かる場所においては、火気の使用について飛火等防止のため適切な措置を講じ、以つて火災を未然に防止すべき注意義務があつたに拘らず、被告人両名は、不注意にも、同夜十時頃右火鉢の火気を始末せずその儘放置して外出した為、同残火の飛火により、同夜十二時頃前記可燃物に燃え移り発火するところとなり、右会社所有の木造杉皮葺平屋建工場四棟を焼燬したものである』というのであるから、本件公訴にかかる放火による工場焼燬の事実と社会的、歴史的事実が同一であることが明らかである。(中略)、本件の場合は、被告人が同一であり、社会的、歴史的事実が同一である以上、基本的事実関係は同一であり、公訴事実が同一性であると言うべきである。従つて、本件工場の焼燬について、被告人Aが既に失火罪により処罰せられ確定している限り、重ねて同一工場焼燬の事実につき、放火幇助罪によつて処罰し得ざるは当然である」(名古屋高判昭三一・二・一〇刑集九・三二五)。

訴因変更の要否

小野慶二

訴因は、戦後新しく採用された概念であるため、その本質や機能について明確を欠くものがあり、学説上も争があるし、これに関する判例も数多く、その内容も種々雑多である。これらの判例を適当に分類整理することに最も苦心を要した。

訴因の変更について、前に私は「訴因・罰条の追加、撤回及び変更」（法律実務講座刑事編第五巻第三章）を書いている。そこで述べた見解は今日でも基本的には変つていない。しかし、その後も多くの判例が出ており、特に最高裁判所の判例もいくつか現われた。これによつて、この分野の判例も、ほぼ一つの方向に統一されてきたように思われる。そこで、本稿では、訴因の変更に関する現在の判例の理論と実際とをできる限り客観的に叙述することに努めた。判例の見解は必ずしも私見と一致しないが、私見は判例をコメントするにあたり多少さしはさむ程度にとどめた。

判例は、もれなく集めたとはいえないが、できるだけ豊富に採録した。ただ、紙数の関係で全部の判例について事実内容を示すことができなかつたことは残念である。判旨はすべて原文からの抜萃であるが、判決文の一部だけを載せたためその趣旨が完全に伝えられなかつたものがあるとすれば、それはむろん筆者の責任である。

訴因の問題について私は、最高裁判所事務総局刑事局に勤務していた当時同局局長および第二課長であられた現東京地方裁判所の岸、横川両判事の御教示に負うところが多大である。前記実務講座も両判事の御指導のもとに執筆したものである。また、本稿執筆にあたつて、各教科書のほか、これまでにあらわされている多くの論文、判例研究等を参照させていただいたことはもちろんである。一々引用することは略したが、ここに厚くお礼を申し上げる。

一　序　説

一　訴因変更の制度

（一）公訴事実と訴因　旧刑事訴訟法のもとでは、裁判所は、公訴事実が同一である限り、起訴状記載の事実・罪名に拘束されないで犯罪事実を認定することができた。その公訴事実の同一性は、判例によれば基本的事実関係の同一によつて規定される。

【1】（旧法判例）「裁判所は公訴事実については、その基本たる事実関係の同一性を害しない限り、検事の付した罪名やその指摘した事実等に拘束されることなく、自由に審理判断し、他の罪名に当る事実を認定し得ることは勿論であつて、本件公判請求書記載の詐欺の公訴事実と原審認定の贓物収受とを彼此対照するに、その間事犯の態様に差異は認められるが、……基本たる事実関係においては同一であると解するを相当とする。然らば原審は本件公訴事実の範囲内において判示贓物収受の事実を適法に認定処断したものということができる。」（最判昭二四・一・二五刑集三・一・五八）。

これは大審院の一貫した判例を受けついだものである。基本的事実関係の同一という基準は、法律的にも事実的にも相当大幅な認定の変動を許していたから、旧法のもとでは時には次のように突飛な事実認定も行われた。

【2】（旧法判例）「公判請求書及予審終結決定書ニ依レハ被告人ハ函館時報編集印刷人タリシ当時田巻ニ対シ同人ノ素行ニ関シ質問シ同新聞紙ニ之ヲ掲載スヘキコトヲ暗示シ後同新聞紙上ニ「亀田ノ色魔云々」ト題シ同人ノ素行ニ関スル記事ヲ掲載シテ同人ヲ恐喝シ因テ金百円ヲ二回ニ交付セシメタリト云フニ在リテ、原判

決ハ之ニ対シ函館時報ノ経営者船場カ岡田等ノ懇請ヲ容レ田巻ニ関スル判示記事ノ掲載ヲ中止シタルヨリ田巻及岡田ハ同時報ノ記者タル被告人ニ対シ記事差止ノ謝礼トシテ船場ニ供与アリタキ旨ノ委託ノ下ニ金百円ヲ交付シ被告人ハ之ヲ保管中擅ニ自己生活費等ニ費消シタル事実ヲ認定シタルモノニシテ、之ヲ対照スルニ被告人カ右金百円ヲ不正ニ領得シタル公訴ノ基本的事実関係ニ付テハ二者同一ニシテ其ノ行為ノ体様ヲ異ニセルニ過キサルヲ以テ原判決ハ起訴事実ニ対シ審判ヲ為シタルモノニシテ所論ノ如キ不法アルモノニ非ス」（大判昭九・七・六刑集一三・九四四）。

これが被告人にとつて不意打であることは明らかであろう。新法の当事者主義的性格は被告人に対して防禦の対象を明確に示し、かような不意打の危険を除くことを要求する。こうして訴因およびその変更の制度が設けられることになつた。判決は訴因として明示された事実についてしなければならなくなつたのである。

防禦上の安全という目的だけを強調すれば、訴因の縮小または微細な点における修正は別として、その追加変更などは認めない方がよいということになるであろうが、事実認定そのものの発展的な性格および刑事訴訟の基本的に職権主義的な本質から訴因変更の必要が要求される。また被告人の立場から見ても、既判力に関し伝統的に認められている犯罪事実の同一性の範囲を縮小することは、その地位の安定を害する結果になる。こうして公訴事実の同一性という概念は依然維持され、その範囲内において訴因の追加変更が可能とされたが、あらかじめ法定の手続に従いこれを被告人に明示し、十分な防禦の機会を与えなければならないことになつた（刑訴三一二条）。次の判決を前の旧法の判例と比べれば新旧法の差異が明らかであろう。

【3】（事実）　訴因は「被告人は昭和二六年一一月二日午前三時五五分頃福岡市極楽寺町千代田銀行新築工事竹中工務店作業所材料置場において同工務店所有、西野保管にかかる鉄筋一三本を窃取した」というのであるが、原審は訴因罰条の変更手続を経ないで「被告人は同日午前三時五十分頃帰宅すべく右作業所置場附近の道路上にさしかかつた際道路上にあつた鉄筋一三本を発見し、占有を離れた他人の物であることを認識しながら、不法に領得する意思でこれをそこから同町亀岡炭鉱支店前まで運搬して横領した」と認定した。

（判旨）　「刑事訴訟法第二百五十六条第三百十二条によれば、起訴状に訴因を明示して記載された公訴事実と判決において認定した事実とが、たといその基本的事実関係を同じうし公訴事実の同一性を害することがなくても、判決に認定した事実が起訴状に予備的又は択一的に記載されていない限り、検察官が訴因の追加、撤回又は変更の請求をするか或は裁判所が審理の経過に鑑み訴因の追加又は変更を命じた場合でなければ、裁判所は起訴状に明示された訴因と異る罪となるべき事実を認定することは許されないものと解すべきである。（中略）原判決は結局訴訟手続の違反があつて審判の請求を受けた窃盗事件について判決せずして、審判の請求を受けない遺失物横領事件につき判決をしたものといわねばならない。」（福岡高判昭二七・一一・一四特一九・一二六）。

かように新法は公訴事実と訴因という二重の概念を採用することになつた。旧法のもとでも訴因にあたるものは存在した。公判請求書に記載された犯罪事実は訴因に外ならない。公訴事実は或る場合には基本的事実（実体）であり、或る場合にはその記載（表現）であつた。それゆえ、公訴事実が基本的には同一でありながら、訴訟の発展にともなつて変化の生ずることは、事実認定の性質上当然起り得ることなのであるが、同一である公訴事実が変更されるというのは用語上矛盾するから、その変更の手続を明確に規定するために、英米の訴因という用語を借りてきたものであろう。これによつて公訴事実の同一性と訴因変更との関係は明らかにされたが、訴因そのものの性質、刑訴法に規定された「事件」の意義などについて解釈上の疑問、混乱が生ずるようになつた。

（二）　訴因の追加・撤回・変更　広義の訴因の変更は訴因の追加、撤回および変更にわかれる。このうち訴因の撤回はいわば公訴の一部取消（すなわち科刑上一罪の一部または予備的・択一的訴因の或るものの撤回）であつて、被告人の防禦に不利益を生ずるおそれのないものであるから、その要否を問題にする必要がない。追加と変更との区別は明確でないが、本来の一罪を一訴因とし、科刑上一罪の一部の附加を訴因の追加と解すべきであろう。そのほか予備的または択一的訴因の追加も許される。したがつて訴因変更の必要があるときは、いつでも予備的または択一的訴因の追加でこれに代えることができる。

【4】　「訴因を予備的に（すなわち当初の訴因が否定される場合の予備として）追加または変更し得べきことは刑訴二五六条五項三一二条により明白であり、且つ、公訴事実の同一性を害しない限度における訴因の追加（新たな訴因を附加すること）と変更（同一訴因の態様を変更すること）とは、その法律上の効果を異にしない。」（最判昭二六・六・二八刑集五・七・一三〇三）。

訴因の追加・変更とは、裁判所が勝手に訴因と異なつた事実を認定することではない。そのようなことを許さないようにするために定められた、被告人に防禦の対象を告知するための追加・変更の手続である。そしてそれは公訴の内容の追加・変更にほかならないから、これを行うのは当然検察官である（刑訴規則二〇九条参照）。裁判所は訴因の追加・変更を命ずることができるが、この場合にも検察官がその命令に従つてこれを行わなければならないのである。

(三)　訴因変更の限界としての公訴事実　訴因の追加・変更は公訴事実の同一性を害しない限度で許される。したがつて、公訴事実は形式的にいえば訴因変更の許される範囲である。したがつて裁判所はかような公訴事実の同一性を害する訴因の追加・変更を行うことはできない。追加・変更の請求を許可してはならないし、これを許可しても無効である。

【5】　「右(三)の事実は変更前の(二)の事実と全く相異つた事実の追加であつて両事実の間に基本たる事実関係の同一性は認められないものといわねばならない。従つて右(三)の事実の追加は、訴因の変更又は訴因の追加のいずれとしても、公訴事実の同一性を害しない程度においてなされたものではないのであるから、これを許されるべきではなく、これを許している原審は訴訟手続についての右法条に違背したものとなるのである。」(東京高判昭二七・七・三〇刑集五・九・一五二六)。

(四)　控訴審における訴因の変更　刑訴三一二条が第一審の手続を念頭において規定されたものであることは明らかであるが、この規定は控訴審にも準用される(四〇四条)。

控訴審が事後審の性格を有するところから、控訴審では訴因変更が許されないとする見解もあるが(横井・逐条解説Ⅲ八四頁、青柳・通論上一九二頁)、現に控訴審で訴因を変更した例もあり、また多くの判例はそれが許されることを前提として判断をしている。控訴審の構造上訴因変更を必要とする場合の少ないことは事実であるが、破棄差戻後の第一審で訴因変更の許されることは明らかであり、控訴審は原判決を破棄する場合において自判するに適すると認めるときは自判する権限を与えられているのであるから、控訴審においても訴因変更が許されないとは解されないし、実際にその必要が生じ得ると思われる。訴因の変更が行われた場合において新訴因につき有罪の言渡をするときは、あらかじめ公判期日において新訴因につき被告人の陳述をきかなければならないことは当然である。このことは次の判例によつて明らかにされた。問題は訴因変更が許されるかどうかではなく、左の上告論旨も述べているように、訴因変更の上自判することが審級の利益を害するのではないかということにある。この判決が「被告人の実質的利益を害しないとき」といつているのは、自判するための条件と解するのが妥当である。

【6】（上告趣意）　原判決は「本件における本来的訴因即ち業務上横領の犯罪事実については証拠上之を認め難いので、進んで予備的訴因について判断する」として被告人を背任罪に問擬処断した。ところが、右予備的訴因は第一審においては提出されず原審において初めて提出されたものである。第一審が背任罪の訴因については判断していないのに原審がこれを採択して自判したことは、上訴の法理を無視し、三審制度の法則を破壊するものといわねばならない。本件の場合は第一審に差し戻すか、又は同等の他の裁判所に移送すべきである。原判決は憲法三一条、三二条に違反する。

（判旨）　棄却。「控訴審が一審判決の当否を判断するため事実の取調を進めるにつれ、検察官から訴因変更の申出がある場合に、控訴裁判所は審理の経過に鑑み、訴訟記録並びに原裁判所及び控訴裁判所において取り調べた証拠によつて原判決を破棄し自判しても被告人の実質的利益を害しないと認められるような場合においては訴因変更を許すべきものと解するのが相当である。これを本件について見ると、原審では控訴趣意について事実の取調をして、一審判決の当否が十分検討された段階において、検察官から予備的訴因の追加請求があつたのである。そこで原審では弁護人の意見をきいた上、（弁護人は「別に意見なし」と述べている。）右請求を許可する決定をして、その上被告人、弁護人の最終陳述があつて結審されている。かような審理の経過からして、原審が訴因変更の請求を容れ、右に基き一審判決の業務上横領の認定をかえて背任の事実を認定しても、被告人の実質的利益はすこしも害されていないこと明らかである。」（最判昭三〇・一二・二六刑集九・一四・三〇一一）。

二　訴因変更の必要

（一）訴因の拘束力　すでに述べたところから明らかなように、裁判所は判決において訴因と異なる犯罪事実を認定することはできない。すなわち有罪判決は訴因によつて拘束される。この拘束力が訴因制度の根本となつている。そうでなければ、訴因は被告人の防禦権の保護という機能を果すことができないからである。

【7】「新法においては公訴事実は訴因を明示して表わされるから、公判における審判の範囲、証明の対象は一応訴因によつて決定せられ、被告人は訴因を争うことによつて十分に防禦権を行使することができ、訴因以外の事実によつて有罪の認定を受けることはない。」（札幌高函館支判昭二五・一一・一六特三・一一五）。

この拘束力の性質について大別して二つの見解がある。一つはこれを不告不理の原則そのものとする。これによれば、訴因と異なる事実を認定することは刑訴三七八条三号の「審判の請求を受けない事件について判決をしたこと」にあたる。この見解を更に分ければ、同号の「事件」の意味を常に訴因と解するもの（平野「訴因概説」訴因に関する研究所収一〇一頁）、この場合も不告不理の原則違反に準ずるものとして同号後段を適用すべきだとするものとがある（団藤「訴因についての試論」刑事法の理論と現実二所収一四頁）。「事件」という用語は、刑訴法において伝統的に公訴事実によつて限定される単位の実体の意味で用いられていることが明らかであるから、右の見解は文理上は困難がある。そこで他の見解は、これを不告不理の原則違反と見ないで、訴訟手続の法令違反（刑訴三七九条）とするのである。その訴訟手続は、論者によれば釈明義務または訴因変更命令義務と考えられているようである（横川「訴因と審判の範囲」訴因に関する研究所収一〇七頁、刑事裁判の研究所収八一頁）。この二つの見解は、この違法が絶対的控訴理由になるかどうかの点において差異を生ずる。この見解の相異は、審判の対象を訴因と見るか公訴事実と見るかの論争に由来するものであるが、ここで詳論することを避ける。ただ、私見としては、公訴事実の拘束力と訴因の拘束力とでは同じ拘束力でもその性質が異なるので、直ちにこれを同一に論ずることはできないと考える。しかしまた訴因変更を単なる被告人に防禦の機会を与えるための手続と解すべきではない。訴因によつて攻撃防禦の目標が定められ、判決すべき事実が限定されるのである。したがつて訴因の拘束力に反する判決をすることは、訴訟指揮の不当という点ではなく、訴因とされない事実につき判決をするということ自体において訴訟手続の違法であると考える。それが同時に訴因変更命令義務の違反になることもあり得るが、この義務はきわめて狭い範囲においてのみ認めらるべきであつて、常にこの義務の違反になるとはとうてい考えられない。

高等裁判所の判例も学説と同様に新法施行当初から全く二つに分れて帰一するところを知らない有様であつた。これに対して最高裁判所は、早くから審判の請求を受けない事件について判決をしたかどうかの観点から判断している。

【8】「原判決が所論のごとく住居侵入と窃盗の事実を認定し、牽連犯として重き窃盗の刑を以て処断したことは所論のとおりである。そして、本件起訴状には公訴事実中に「屋内に侵入し」と記載されてはいるが罪名は単に窃盗と記載され罰条として刑法二三五条のみを示しているに過ぎない。（中略）されば、住居侵入の点は訴因として起訴されなかつたものと見るのが相当である。しかるに原判決は第一審判決が前科のある事実を判決の理由中に示さなかつた点を職権を以て……破棄自判しながら訴因の追加もないのに住居侵入の犯罪事実を認定しこれに対し刑法一三〇条を適用したのは、結局審判の請求を受けない事件について判決をした違法があるものといわなければならない。しかし、原判決は住居侵入と窃盗の牽連一罪の刑を以て処断したもので

あるから、右違法は未だ原判決を破棄しなければ著しく正義に反するものと認め難い。」(最決昭二五・六・八刑集四・六・九七二)。この見解は次の判決によつて確定的になつたと見られる。

【9】「職権を以つて調査するに、本件起訴状には公訴事実として「被告人両名は飲酒酩酊の上昭和二十五年三月十七日午後十時三十分頃大阪府……の街路を歩行中のK子(当二十二年)を認むるや被告人Aは矢庭に同女の肩に手を掛け猥褻の振舞をせんとしたので同女が同所百二十番地I方に馳込んで逃れるのを両名共之を追跡し、同家二畳の間に於て同女を仰向けに押倒した上夫々馬乗りとなり被告人Bは強いて同女の陰部に自己の手を挿入する等の暴行を加え被告人両名夫々猥褻の行為をしたものである」と記載され、罪名及び適条としてそれぞれ「強制猥褻刑法一七六条」と掲記されている。即ち、本件は強制猥褻の訴因を以つて起訴されたものである。ところで、第一審判決は右犯罪の証明がないとして被告人両名に対して無罪を言渡し、これに対して検察官から事実誤認を理由として控訴を申立てたところ、原判決は「案ずるに本件公訴事実について左記のとおり被告人等の犯罪行為が認められるに拘らず原審が犯罪の証明ないものとして無罪の言渡をしたのは事実を誤認したものというべく論旨は理由あるに帰し、原判決は破棄を免れない」として、自判して被告人等を公然猥褻罪に問擬した。即ち、原判決は「被告人両名は飲酒酩酊の上」起訴状記載の日時、街路を通行中「たまたま通りかかつた予てから馴染の仲である同市内の喫茶店O方の女給K子(当二二年)に遭うや相前後して同町一二〇番地飲食店I方に立入つた際被告人Aは右I及び同店の客T外二名の面前において同家二畳の間の上り端に腰かけている右K子にその前方から抱きつき同女が仰けに畳の上に倒れるや更に同女の上に乗りかかつてゆき被告人Bも亦被告人Aの背後に接着して同女の上に乗りかかつてゆき以て被告人両名それぞれ公然猥褻の行為をしたものである」との事実を認定し、刑法一七四条を適用して被告人等を各罰金三千円に処した。しかし、本件起訴状記載の公訴事実は前記のとおりであつて、原判決の認定したような「飲食店I方」において「右I及び同店の客T外二名の面前において」という本件行為の公然性を認めるに足る事実は何ら記載され

ていないばかりでなく、起訴状記載の罪名及び罰条に徴しても、原判決の認定したような公然猥褻の点は本件においては訴因として起訴されなかつたものと解するのが相当である。なお、記録を精査しても、本件において訴因または罰条につき、追加変更の手続が適法になされたと認むべき資料はない。して見れば、原判決は結局、審判の請求を受けない事件について判決をした違法があるものといわなければならないのであつて（昭和二五年六月八日第一小法廷判決【8】参照）、若し審判の請求を受けた強制猥褻被告事件について犯罪の証明がなかつたのであるならば、判決で無罪の言渡をしなければならなかつた筈である（刑訴三三六条）。従つて、右の違法は明らかに判決に影響を及ぼすべきものであり且つ原判決を破棄しなければ著しく正義に反するものと認められるから、刑訴四一一条一号、四一三条本文に則り主文のとおり判決する。」破棄差戻（最判昭二九・八・二〇刑集八・八・一二四九）。

この判決はこれまでに最高裁が訴因の拘束力違反を理由として原判決を破棄した唯一のものではないかと思われるが、それだけに重要な判例である。この場合罰条は異なるが、事実そのものには大差がなく、ことに判決の問題にしている公然性の点などは最初からわかりきつていたことだと思う。ただ重要な相違は、肝心の手を挿入した事実が認められないことで、それにもかかわらず別の罰条を適用してまで被告人を有罪にする必要はないというのが最高裁の真意ではあるまいか。ともかく最高裁がこの場合に審判の請求を受けない事件について判決したものと解していることは注目すべきことで、これだけを見れば最高裁は訴因の拘束力をすこぶる厳格に解しているように見える。なお強制わいせつと公然わいせつとを想像的競合の関係と解するならばこれは訴因追加の場合であるが、追加でも変更でも事は同じであろう。

しかし、高裁における訴訟手続説は相当根強いものがあり、右の判例によつて果して統一されるかどうかはまだわからない。次に訴訟手続説を明示した高裁判例を挙げておくが、【11】は右の最高裁判決よりも後のものである点が注目される。

【10】「訴因制度を採る新刑事訴訟法の下においては裁判所の審判の対象は訴訟手続的には一応公訴事実に明示された訴因に限定されるけれども、公訴事実の同一性を害しない限度において訴因の変更、追加等が許されているのであるから、審判の範囲は実体的には公訴事実全体に及ぶものであり、刑事訴訟法第三百七十八条第三号に所謂「事件」とは訴因を指すものではなくして「公訴事実」を指すものと解するを相当とする。従つて裁判所が公訴事実に示された訴因と異る事実を認定しても公訴事実の同一性を害していない限り審判の請求を受けない事件について判決をしたものとはいえない。」（【52】と同一事件）（高松高判昭二七・九・二五刑集五・一二・二〇七一）。

【11】「原判決が刑事訴訟法第三百十二条に定める訴因変更の手続を採らないで、いきなり判決において前記のように訴因と異る認定をしたのは違法であるといわなければならない。しかし、所論の同法第三百七十八条第三号にいわゆる「事件」とは、訴因によつて代表せられる公訴犯罪事実を指すのであるから、起訴にかかる事実と、判決の認定する事実とが同一性を失わないかぎり、訴因の変更又は撤回の手続をしなければならないのにこれをしないで審理判決しても、審判の請求を受けた事件について判決をせず、又は審判の請求を受けない事件について判決をしたことにならないのである。」（【28】と同一事件）（大阪高判昭三一・四・二六刑集九・四・三七三）。

（二）　有罪判決の前提としての訴因変更の必要　　訴因の拘束力によつて、訴因変更の必要が生ずる。本稿では、どういう場合に訴因の変更（追加を含む）が必要かを検討しようとするのであるが、ここで問題とする訴因変更の必要とは、訴因変更の手続をしなければ有罪の判決をすることができないということである。すなわち、有罪判決の前提としての訴因変更の必要性である。しかし、公判で訴因変更の行われる段階では、それが検察官の請求によるときはもちろん、裁判所の命令によつてされるときでも、変更後の訴因について有罪判決のされることが確定しているわけではなく、その蓋然性が存在するにすぎない。だから、ここでいう訴因変更の必要は、正確にいえば、変更の時における判断ではなく、有罪判決のあつた場合における事後的な判断である。訴因と判決の認定事実とを比較した上での、その訴因にもとづきその事実を認定することが許されるかどうか、つまり訴因と認定事実との不一致はどの程度まで許されるかという判断である。それはすなわち訴因の拘束力はどの程度まで及ぶかということにほかならない。

【12】「刑事訴訟法第三百十二条にいう訴因とは公訴の原因たる犯罪構成事実を指すものであり、この犯罪構成事実の追加又は変更は事実の同一性を害しない限度において許されることは同条の明示するところであるが、検察官がかような訴因の追加又は変更を請求しない場合において裁判所が起訴状に記載された訴因と一致しない訴因に該当する犯罪事実を認定することができるかどうかは同条及び第三百七十八条第三号に関連する問題である。」（【116】と同一事件）（札幌高判昭二四・一二・三刑集二・三・二八二）。

したがつて、ここでいう訴因変更の必要は、まず、公判において検察官が考慮する訴因変更の要否とは異なる。それは公訴官としての検察官が訴追の必要性、または訴訟技術上の考慮にもとづいてする判断である。

それはまた、裁判所の訴因変更命令の必要とも区別しなければならない。訴因変更命令は、訴因の変更を完全な当事者主義にまかせないで、刑事訴訟の本質にかんがみ職権主義の介入を認めた制度である。したがつて、一定の場合には裁判所が訴因変更を命ずる義務があると解しなければならない。

判例もこれを認めている（福岡高判昭二八・一二・一四刑集六・一二・一七九七等）。しかし、同一公訴事実の範囲内で訴因と異なる犯罪事実の認められる蓋然性がある場合に、検察官が訴因を変更しないからといつて、常に訴因変更を命ずる必要があるとは考えられない。

たとえば【3】の事例において窃盗罪が認められず遺失物横領罪が認められるときは、訴因の変更が可能であり、有罪判決をするためには必要である。しかし、それでは訴因変更命令が必要かというとそれは恐らく否定すべきではなかろうか。

高裁判例のうちには、次のように、訴因の拘束力に反した有罪判決を破棄するとき、「訴因変更を命ずべきであつた」と述べているものがある。しかし、これを訴因変更命令義務を認めた趣旨と解するのは誤りである。この判決も「訴因以外の事実に付て審判せんとするときは」といつていることに注意しなければならない。

【13】　「原審としては右訴因にき束せられ現実的な審判の対象としては右訴因に包含せられる事実に限定せられるのであるから、原審が同一の公訴事実であつて右訴因以外の事実に付て審判せんとするときは其の事実に付検察官に対して訴因としての追加変更を命じ其の追加変更があつた上で之が審判を為すべきである。酒類の不法所持と酒類の不法製造とは訴因としては別異のものと解するから原審が右のような手続を経ないで不法所持の訴因に対して不法製造の事実を認定して処断したのは、所論の様に審判の請求を受けない事件に付て判決をした違法があるものと言わなければならぬ。」（広島高判昭二七・四・二五特二〇・六六）。

（三）　有罪以外の判決の前提としての訴因変更の必要　　右に有罪判決だけを前提として訴因変更の必要性を考えたのは、訴因が被告人保護の制度であり、その拘束力は有罪判決に対するものであるという見地にもとづく。しかし、有罪以外の判決の前提として訴因変更が全く不要であるかどうかは、別個の見地から検討しなければならない。

まず、無罪の場合に訴因の変更または撤回を要しないことは明らかである。無罪判決は訴因の認められないことを判断すればたりる。かりに訴因の外に出て判断するとしても、結局無罪となるのであれば、被告人保護の見地からも訴因変更の必要はない。

公訴棄却または免訴の場合はどうか。前者が形式裁判であることは争いがなく、後者も形式裁判と解するのが通説である。形式裁判であるから公訴棄却・免訴の事由（親告罪かどうか、時効が完成しているかどうかなど）はまず訴因について判断することになるが、これらの事由が常に訴因だけから判定されるとは限らない。或る程度の実体審理の結果判明することもある。この場合どういう判決をすべきかは訴因に対する見解の相違によつて異なるであろう。訴因は審判の対象たる検察官の主張であるという見解を貫くならば、公訴棄却・免訴の事由の判定は訴因だけについてすべきであり、実体審理の結果にもとづいてすべきではない。したがつて訴因変更の行われない限り、無罪ということになるであろう。これに反して訴因を実体の表現と考えるならば、審理の結果明らかにされた実体を基準とすれば訴訟条件を欠くと認められるときは、当然これにもとづいて公訴棄却または免訴の言渡をすべきである。むろんこの場合実体的審理を最終まで進める必要はない。後説が通常の見解であり、妥当であると考える。この場合にも訴因変更の要否は問題になるが、被告人が犯罪の成立そのものを争つていない限り、防禦に不利益を生ずることはないから、変更の必要はないと考える。最高裁判所はプラカード事件の判決（最判昭二三・五・二六刑集二・六・五二九）において訴訟条件の存否は常に起訴状だけを基準として判断しなければならないと考えているように見えるが、その見解は必ずしも徹底していない。次の判決はそのことを示している。

【14】「原判決は被告人に対し刑法二三〇条の名誉毀損の事実を認定しないで、侮辱の事実を認定した上、被告人の右所為を同法二三一条に問擬していることが明らかであるところ、刑法第二三一条の所為は、……一年の期間を経過することにより、公訴の時効は完成するものである。記録によると、被告人が本件の所為をなしてより一年一月余を経過した昭和二七年一〇月一一日に、検察官から公訴の提起があつたことは明らかであつて、たとえ、起訴状記載の訴因及び罪名が名誉毀損であるにしても、原判決は名誉毀損の事実を認めなかつたこと前示のとおりであるから、右起訴の当時すでに本件所為につき公訴の時効は完成したものというべきである。されば本件の場合においては、刑法四〇四条、三三七条四号により、被告人に対し免訴の言渡をなすべきものであるのに、原判決が前示刑法二三一条に問擬し、有罪の言渡を為したのは違法であり、原判決を破棄しなければ著しく正義に反するものと認められる。」（最判昭三一・四・一二刑集一〇・四・五四〇）。

これは明らかに控訴審の認定事実を基準として免訴の言渡をすべきものとしているのである。なおこの判決は、かような場合には訴因に拘束されないで免訴の言渡をすることができるという見解に立つているものと思われる。ところがこれと相反するように思われる高等裁判所の判決がある。

【15】（事実）選挙法違反事件について、控訴審は問題の金員授受の日時は訴因に記載された日時より約二カ月前であり、したがつて起訴前に時効が完成していると認めた。

（判旨）「本件については六ケ月の公訴時効が完成しているの故をもつてこの事実につき免訴の言渡をなすべきであるとの所論については、当裁判所はこのような場合においては単に起訴に係る日時に起訴に係る犯罪事実を認めるに足りる証拠の存しない故をもつて無罪の言渡をなすをもつて足り、起訴日時と異なる日時の犯罪事実を認定し、この事実に関する本件起訴が既に時効完成後であるの故をもつて免訴の言渡をすることは、訴因制度をとる現行訴訟手続の趣旨にかんがみても不当の措置と考えるので、この点の所論は採用しない。」（破棄無罪）（東京高判昭二九・九・七高裁特報一・五・一九五）。

正統な判例として承認されるかどうかは疑わしいが、この判決はかような場合にも訴因の拘束力を認めている。純粋に訴因のみを審判の対象と解する見解に連なるものと思われる。この見解に従うならば、訴因の拘束力は有罪判決を前提とする場合のそれとは異なり、免訴の事由の有無に関係する事実の点に重点が置かれるであろう。

（四）　訴因の必要的変更と任意的変更　　訴因の変更が必要な場合でなくても、訴因と多少とも異なつた認定をするために訴因を変更することはできるか。これはむろん差支えないものと解する。多くの判例は、被告人の防禦に実質的な不利益を生ずるおそれがないときは訴因の変更を要しないという見解をとつているのであるが、かようなおそれの認められないときも訴因変更の行われることは刑訴法自身の予想しているところである（三一二条四項）。

右の見解に従えばこれは任意的変更ということになるであろうが、かような訴因の変更を行うことが適当である場合は少なくない。ところが、訴因変更の必要でない場合（「訴因の同一性」というのはその意味に解される。）にはこれを行うべきでないという趣旨の判例がある。

【16】「当法廷が屢々判示したごとく、訴訟法が訴因変更の手続を設けた趣旨は、予め審理の対象、範囲を明確にして、被告人の防禦に不利益を与えないためであるから（判例集八巻一号七一頁以下【135】九五頁以下

【136】等参照）、公訴事実並びに訴因が同一性を有する限り、これらの同一性を害しない事実について、その変更手続をなすべきではない。なぜなら、公判審理中かかる事実の存否につき疑問を生ずる度毎に、裁判所が一々これが変更手続をなすがごときは、ただに無用であるばかりでなく、往々当事者をして裁判所が予断を抱くものと疑わしめる虞がなくはないからである。」（【95】と同一事件）（最判昭三二・一・二四刑集一一・一・二五二）。

この判決は訴因の変更とその変更命令とを混同した疑がある。また、訴因変更命令をするについてはもとより慎重を期すべきであるが、この制度が設けられている以上それによつて裁判所の実体形成が手続面に反映されることは当然の結果だといわなければならない。

もつとも、次の判決の示すように、微細な事実の修正は起訴状の訂正の手続によつてすることが判例上認められている。後に述べる構成要件説の立場から、構成要件が変らない事実の変更はすべて起訴状訂正の手続によるべきだとする見解もある。しかし、訴因変更を要しない場合における訴因の修正を訴因の変更としても起訴状の訂正としても、実質的には差異がない。より厳格な方式による訴因変更の手続を行うことは少しも差支えないと考えられる。

【17】「公訴事実の同一性を害せず而も被告人の防禦に何等の不利益をも来すことのない起訴状の訂正の如きは、如何なる事実につき刑罰権の確定を求むるものであるかを特に鮮明する意味において、検察官は自由にこれを為し得べく、刑事訴訟法もまたこれが訂正の申立に対し、被告人又は弁護人の意見を徴す如きことを要求していないところである。」（東京高判昭二八・九・三〇特三九・一一四）。

二　訴因変更の要否の基準

一　事実記載説と構成要件説

（一）　両説の立場　　訴因に拘束力があるといつても、訴因と判決の認定事実との不一致が全然許されないのではない。事実に多少の相違があつても訴因制度の目的に照し訴因変更の必要の認められない場合もある。そこでその要否をきめる基準が問題になる。

訴因変更の要否をきめる基準については周知のように事実記載説と構成要件説（同一罰条説）との対立がある。前者は、訴因の拘束力は訴因として記載された事実の点に存するのであるから、事実に変更のあるときは訴因の変更を要するとし、後者は、訴因の拘束力は事実に対する構成要件的評価の点に存するから、構成要件に変更のあるときに訴因の変更を要するとする。もちろん、これは基本的な見解の対立を示したもので、同じ事実記載説に従つても、事実の拘束力の程度をどう考えるかによつて、実際の適用は厳格にもなるし非常にゆるやかにもなる。構成要件説のうちにも、共同正犯・教唆犯・従犯などの相違があつても構成要件を同一と見る見解もあり、これを区別して考える見解もある。また訴因をほとんど構成要件そのものと見る見解もあるし、訴因を事実と見ながらも、その法律構成のしかたの点に訴因の本質を認め、罰条は同一でも罪数の変更その他法律のあてはめ方が異なるときはやはり訴因の変更を要するとする見解もある。更に両説を総合した見解も主張されている。

注意すべきことは、基本的な立場としては事実記載説の方が当事者主義的な見解だということである。この説は、検察官が一定の事実関係を主張すれば裁判所がこれに対する法律的評価をするというのではない。法律構成についての拘束力も罰条から生ずる（ただし例外が認められる。）が、そのほかに訴因の具体的事実内容もまた裁判所の審判を拘束するというのである。したがつてまた、この説は法律的に構成された事実としての訴因が現実の審判の対象であるという見解につながる。いわば訴因中心主義である。これに反して構成要件説は、訴因よりも幅の広い公訴事実を現実の審判の対象と考える。公訴事実の範囲内で事実を認定し、法律を適用するのは、本来裁判所の職権に属する事項である。しかし、当事者が予測しない法律の適用によつて不意打を受けてはならない。そこで判決が訴因と法律構成を異にするときは、あらかじめ訴因を変更して被告人に防禦を尽させなければならないというのが、その基本的な立場である。ドイツ刑法二六五条の「公判開始決定に示した罰条と異なる罰条を適用して処断するときは、あらかじめ被告人に対し法律見解の変更を告知して防禦の機会を与えなければならない」という規定の趣旨に近い見解である（岸「刑事訴訟法の基本原理」実務講座一巻一四頁以下参照）。

　事実記載説においては訴因変更の要否の基準が不明確であるに反して、構成要件説においてはその判別が比較的簡単明瞭である。その反面それは事実記載説よりも防禦権の保障に薄いといわれる。事実記載説が事実の拘束力を厳格に認めるならばそのとおりである。しかし、判例のようにその例外を広く認めるならば、むしろ逆になるかもしれない。

（二）事実記載説　判例においても両方の見解が現われている。新法施行当初は両説が対立し、正面から訴因の本質を論じた判例も少なくなかつた。次の判決は事実の拘束力を厳格に解した例である。もつともこの結論は、構成要件説から見ても妥当である。

【18】（訴因）被告人は浅田と共謀の上昭和二三年一一月二八日午後八時頃瀬戸市内鵜飼工場内から同人所

有の中古ベルト二本を窃取した。

（第一審認定事実）　被告人は昭和二三年一一月二八日瀬戸市内において浅田からベルトを盗みに行くことを誘われたがこれを拒絶したところ、同人がベルトを窃取して来るから他へ売却して貰いたいというのでそれを承諾し、浅田が鵜飼方工場から同人所有の中古ベルト二本を窃取する行為を幇助した。

（判旨）　「如上の〔刑訴二五六条、三一二条の〕規定は改正刑事訴訟法を一貫する審理の隠秘性を排除し飽く迄その公正明朗を求めている精神から考えて仮令公訴事実の同一性を害さぬ場合でも法定の手続による追加、撤回、変更がなされぬ限り起訴状に訴因を以て明示されていない事実はそれが被告人に実質的に不利益を与えると否とを問わず審判の対象とすることを禁止し当事者に対して不測の事実認定を受けないことを保障し当事者をして安じて起訴状の又はその後の法定の手続によつて審判の対象とされている当該訴因に攻撃防禦を集中せしめる趣旨であつて訴因の異別は劃一的に且厳格に判定すべきものと思われる。（中略）然るところ窃盗行為自体とその窃盗の幇助行為とはその基本的関係を同一にするものでその認定の変更は事実の同一性を害さぬとはいい得るが……被告人に窃取行為が存せず他人の窃取行為に便宜を与えたというのであるから、その犯罪構成の事実に異同があり所謂訴因を異にすること明かで従つて……窃盗行為自体の存否に弁論を集中させながら突如として法定の手続によらずに窃盗幇助を認定するが如きは当事者としては不測の事実認定を受けたもので当事者特に被告人側の防禦権を不当に奪つたものに外ならぬ。原審が前掲説示のように起訴状の訴因を以て明示された事実が被告人に窃盗行為ありとなすのに法定の手続を経ることなくこれと訴因を別にする被告人が他人の窃盗行為を幇助したと認定したのは同法第三百七十八条第三号に該当する……」（名古屋高判昭二四・五・二特一・六）。

これは優れた判決だと考えるが、この判旨自体は後に最高裁判所の判例【135】によつて変更されている。

しかし、最高裁判所の判例もまた基本的には事実記載説である。それは、概して事実の面における同一性を問題にし、法律的評価の変更には重要性を認めない。このことは【9】の事例にも示されている。その判旨は事実が訴因をはみ出している点に重点を置いている。審判の請求を受けない事件について判決したものとしている点も、事実記載説から来る帰結である。最高裁の影響を受けて、最近の高裁判例は大部分事実記載説の傾向に属するもののようである。もつとも基本的な立場の明らかでないものが多いが、次のものはつきり事実の拘束力を認めた例で、訴因の拘束力を有名無実ならしめる傾向に対し警告を与えている。本件は、構成要件は同一であるが、事実のみならず法律構成にも相違があるといえよう。

【19】「裁判所は、被告人の防禦権の行使に対し実質的に不利益を蒙らしめない限り、訴因変更の手続を経る迄もなく、訴因の記載と或程度異る事実を認定する権限を有することは明かであるけれども、斯る権限は、認定事実が、一般的に訴因中に包含されると認め得る場合にのみはじめて、これを適法に行使するを得ると解すべく、便宜に流れて濫りに権限行使の範囲を拡張し、訴因の拘束力を有名無実ならしめるが如き解釈は、到底これを採るを得ない。従つて、訴因記載事実の範囲を逸脱した限度に於て犯罪事実を認定するが如きは、仮令、審理中証拠関係等より、斯る認定に到達すべき可能性あることを、被告人弁護人等に於て或程度予測し得たとしても、被告人自ら該認定事実と符合する事実の存在を主張したるが如き特別の事情なき限り、該認定事実に対する被告人の防禦を完全ならしめたものと言うを得ず、若し裁判所が訴因変更の手続に依らずして斯る措置を執つたものであるに於ては、斯る措置は、刑事訴訟法第二百五十六条第二百七十一条第三百十二条等の趣旨に違背する違法のものであると言うべきである。これを本件について観るに、訴因記載の事実に依れば、「被告人は甲に対し、金五千円を供与したものである。」と言うに対し、原審認定事実は、「被告人は甲を介し、乙に対し金五千円を供与したものである。」と言うにあつて、原審認定事実は、訴因記載事実の限度を逸脱するも

のであることが明らかである。」（名古屋高金沢支判昭二八・九・一七刑集六・一一・一四五七）。

（三）　構成要件説　右に述べた最高裁判所の判例の傾向とは異なることになるが、高等裁判所の判例のうちには構成要件説をとるものもかなり見受けられる。まず、しばしば引用される次の判決がある。【18】と同じ時期のこれと正反対の判例である。

【20】（事実）　訴因は「甲乙丙は共謀の上一月一八日午后八時頃倉庫内から生ゴムを窃取した」というのであるが、原審は訴因変更を経ないで丙に対し「丙は甲乙共謀して生ゴムを窃取するの情を知りながら、一月一七日頃甲方で甲乙に対し『明日の夕方宴会があるので工場が留守になるから盗むのに都合がよい』と告げて甲乙の右犯行を幇助した」と認定した。

（判旨）「訴因とは公訴事実を法律的に構成したものをいい、ここに法律的に構成するとは、刑罰法令の各本条に定める犯罪構成要件にあてはめて叙述するということに外ならないから、訴因と判決の認定事実との間に若干の相違があつてもその間に公訴事実としての同一性が失われず、同時に、そのあてはめられた構成要件の同一性もまた失われていないならば、両者は同一性を保つているものというべきで、判決の事実認定において訴因をこの程度に変更するには固より刑事訴訟法第三百十二条の措置を執るの要がない。ところで、前記本件訴因の窃盗の共同正犯と原判決認定の窃盗の幇助とでは、両者の基本的事実関係は同一で単に犯行の態様を異にするに過ぎぬものであるから、両者が公訴事実に於いて同一性を有するものというべきことは、従来における大審院幾多の判例に徴して疑なく、又共犯の観念は講学上犯罪構成要件の修正形式とか刑罰拡張原因などと呼ばれるところのもので、それ自体が別個の犯罪構成要件を成立せしめる要素ではないから、ある罪の共同正犯とせられているものをその罪の幇助に変更したからとて、それによつて犯罪構成要件の同一性を失わしめたということはできないのである。果して然らば、原審が前記のような事実認定をしたからとて訴因に包含せられない事実を認定したものということを得ず、その間原審が刑事訴訟法第三百十二条所定の措置をとらなかつたことはむしろその所であつて何等違法の廉はない。」（仙台高判昭二四・六・七刑集二・一・一二、同旨東京高判昭二四・一〇・一五特一二・三）。

これは公訴事実および構成要件の同一を基準としたものであるが、本件の場合構成要件が同一であるとした点に問題がある。基本的構成要件が同一でも、共同正犯と幇助とでは具体的な構成要件が異なり、事実に対する法律のあてはめ方も明らかに異なつてくる。したがつて防禦方法にも差異を生ずるはずである。構成要件が異なるという理由で訴因変更の必要を認めた判例として次のものがある。

【21】（事実）訴因は「被告人らは共謀の上甲女を姦淫しようと企て同女を押倒し手足を押え口を塞ぐ等の暴行を加え、よつて同女に傷害を加えたが通行人に妨げられ姦淫の目的を遂げなかつた」というのであるが、原審は「被告人はかねてから思いを寄せていた甲女に意中をうちあけようと考え、同女に手をかけて止めようとしたところ、同女がこれを振切つたはずみに同人らは相前後して小川に顛落したが、これに立腹した被告人は同女の陰部を見ることによつて恥辱を与えようと決意し、他三名と共謀の上同女を仰向けに倒し、陰部を露出させ以てわいせつの行為をし、よつて同女に傷害を負わせた」と認定した。

（判旨）「原審第三回公判調書によれば検察官より被告人に対する起訴罪名を強姦致傷又は猥褻致傷に変更する旨請求のあつた事実は認められるが右変更請求の趣旨は訴因の変更であるか否かは明かでない。然し……訴因変更の場合において単に罪名変更の請求のみでは法の要件を具備したものとは解し得ない。然るに原判決が強姦致傷の起訴事実に対し訴因の変更なくして猥褻致傷を以て処断したのは正しくない。

尤も強姦致傷と猥褻致傷とは目的を異にするも共に暴行脅迫による猥褻行為であつて罪質を同じくしているから、訴因の変更なくして審判することを妨げないと見る解釈もあり得るであろうが、右両者はその犯罪構成要件を異にするを以て之れを採らない。結局原判決は刑事訴訟法第三百七十八条第三号に該当するのでこの点において破棄を免れない。」（広島高判昭二五・四・二九特八・二〇）。

これは事案としては【9】とよく似ているが、構成要件の異同によつて訴因変更の要否を判断している点に特色がある。次の判決は構成要件説を厳格に適用した例である。

【22】「本件では「塩酸ヂアセチルモルヒネ約〇・五瓦」との起訴に対して「阿片系アルカロイドの反応を検出する麻薬〇・五瓦」との認定がなされているのである。

そこで、前者を譲渡したということと後者を譲渡したということとでは訴因が同一であるかどうかを考えるのに、麻薬取締法では「ヂアセチルモルヒネ及びその塩類並びにこれらを含有する一切のもの」に対するのとその他の麻薬に対するのとではその法的取扱を異にし、その譲渡についていえば、前者の譲渡は何人についても絶対に禁ぜられている（第四条第三号）のに反し、後者は麻薬取扱者以外の者がこれを譲渡することが禁止されている（第三条第一項）という相違があるのであつて、その禁止に対する違反は、行為の態様からいえばともに麻薬の譲渡にほかならず、またひとしく同法第五七条第一項によつて同一の法定刑をもつて処罰されるのではあるけれども、前者の譲渡と後者の譲渡とでは、その構成要件を異にし、訴因として別個のものになるといわなければならない。この点は、同一構成要件の範囲内で目的物の性質数量等に多少の相違を生ずる場合とは全く趣を異にするのである。のみならず、本件の場合のように、第四条第三号の違反であるとして起訴された者に対し訴因変更の手続を経ることなく、第三条第一項違反の事実を認定するときは、理論上は被告人側としてもその要件の差異の一つである麻薬取扱者なりや否の点について防禦の機会を失することにもなり、いわば不当な不意打を加えられる結果となるのであるから、かかる場合には訴因及び罰条の変更を必要とすると解すべきである。」（東京高判昭二六・七・一六特二一・一三四）。

次に訴因変更を不要とした例を挙げよう。

最初の二つは法律的構成を異にする認定をする場合に訴因変更を要するとする。

【23】「訴因とは公訴事実を法律的に構成したものを謂い、裁判所が公訴事実とその法律的構成を異にする認定をなす場合において訴因変更の手続を要するものと解するところ、本件について観るに原判決は公訴事実と同じく賍物故買の事実を認定し、ただ賍品買受の相手方及び買受けた賍品の数量につき公訴事実と若干異る認定をしたに過ぎないのであるから、訴因変更の手続は何等その必要なく……」（高松高判昭二四・一二・二六特三・二九）。

【24】（事実）他人を介して販売したとの訴因に対し被告人自身販売したと認定したもの。

（判旨）「訴因とは公訴事実を法律的に構成したものを云うのであるから裁判所が公訴事実とその法律的構成を異にする認定をする場合には訴因変更の手続を要するけれども、犯罪の実行に第三者を介したとの公訴事実に対し被告人自ら実行の衝に当つた旨認定したに過ぎない本件の如き場合には敢て訴因変更の手続を経る必要はないものと解するのが相当である。」（東京高判昭二七・二・五特二九・二四）。

次の三つの判決は右のものと多少異なり、犯罪の日時・場所・態様、目的物の数量などは訴因そのものに属しないというような表現をしている。これは訴因の構成要件的側面を重視する見解（たとえば横川・刑事裁判の実際一二三頁以下）の影響を受けたものではないかと推測されるが、その表現には疑問がある。訴因は構成要件そのものではなく、これに該当する具体的事実であることに注意しなければならない。判旨の結論は正当と思われる。

【25】（事実）起訴状には賍物故買の日時が昭和二四年五月五日頃と記載されているが、原判決はこれを昭和二四年五月六日頃と認定した。

（判旨）「犯罪の日時夫れ自体は訴因と謂うべきでなく、犯罪の場所方法と相俟つて罪となるべき事実を特定し訴因の明示に資せられるに過ぎないが故に特定の罪となるべき事実が同一である限り、其の犯罪の日時の如きは訴因に何等の影響を与えるものでなく、従て裁判所が起訴に係る犯罪の日時に付、之が変更訂正を命ずるの手続を経ないで此の点に於てのみ、起訴と異る認定の下に判決をしたからとて、之を捉え、審判の請求を受けない事件について判決をした違法があるものとは謂い得ない。」（名古屋高判昭二五・一二・六特六・九〇）。

【26】「恐喝罪は人を恐喝して財物を交付させ又は財産上不法の利益を得又は第三者をしてこれを得させることによつて成立するものであるから、その訴因は、犯人が他人に対しその意思の反抗を抑圧するに足るべき程度に達しない威嚇を以て畏怖させて財物を交付させ又は財産上不法の利益を得若しくは第三者をしてこれを得させる事実であるから、その威嚇を以て畏怖させる行為自体は訴因であるが、同行為の態様は訴因そのものではなく訴因を組成すべき因子ともいうべく、従つて判決においてその畏怖させる行為の態様につき公訴事実と異る事実を認定しても訴因そのものの変更があつたものということはできない。」（福岡高判昭二七・二・二八特一九・六七）。

【27】「公務員の収賄罪は公務員がその職務に関し賄賂を収受し又はこれを要求し、若しくは約束することによつて成立するのであるから、その訴因は公務員がその職務に関し賄賂を収受し、又はこれを要求し、若しくは約束することで、その賄賂の多寡は訴因そのものの範疇に属するものでないと解するを相当とする。」（福岡高判昭二七・五・一九特一九・九〇）。

（四）構成要件および事実説　これは仮につけた名称であるが、構成要件に変動があるときは常に訴因の変更を要するほか、それ以外の場合にも防禦に実質的な影響を及ぼすときは訴因の変更を要するとする見解がある。その範囲をどの程度に認めるかについて問題は残るが、これが最も合理的な見解ではないかと思われる。次の判例はこの見解に立つて横領罪の態様の変更につき訴因変更を要するとしたものである。

【28】（事実）訴因は、「被告人は甲から山林代金一九万円と乙から道具借賃五万円とを京都府甲方で預り保管中、九月一三日頃大阪市の飲食店等でそのうち九万円を着服横領した」というのであるが、原審は訴因変

更を経ないで「被告人は九月九日頃京都府の住居から他に出向くに際し、甲から預つていた一九万円を拐帯した」と認定した。

（判旨）「訴因の追加変更手続の目的は、訴訟の発展段階における審判の対象としての訴因の変化を明示し、よつて訴因の拘束力をその変化に順応させるとともに、訴訟当事者に新たな攻撃防禦の機会を与えるにあるといわなければならない。従つて、訴因の横領を詐欺と変更するように、犯罪の抽象的構成要件すなわち各罰条の類型的構成要件に変更を来す場合には、訴訟当事者の攻撃防禦に実質的な不利益を及ぼすか否かにかかわらず訴因の追加変更を要するし、右の場合に当らなくても、訴因の追加変更が訴訟当事者の攻撃防禦（主として被告人の防禦であるが、裁判所が検察官の思いがけない方向に訴因を変更する場合をも含めて解釈する必要がある）に実質的な影響を及ぼすおそれのあるときには、訴訟当事者にあらかじめ警告を与えなければならないから、ひとしく訴因の追加変更の手続を採ることを要すると解するべきである。」（【11】と同一事件）（大阪高判昭三一・四・二六刑集九・四・三七三）。

二　訴因の同一性

（一）「訴因の同一性」の意義

判決の認定事実は訴因として明示された事実と一致しなければならない。この関係を表現するのに「訴因の同一性」という用語が判例・学説にときどき用いられているからこれを借用することにする。訴因の同一性はいうまでもなく公訴事実の同一性とは区別されなければならない。それは公訴事実の同一性のように発展する事物の自己同一性ではなく、二つの犯罪事実の叙述が一致していることである。それゆえこの用語を用いるならば、いわば二つの図形が合同するように、重なり合う同一性の意味に用いるべきである。といつても事柄が社会的事象であるから、その同一性は価値的に観察しなければならない。表現の一字一句の相違までを問題にするのではない。けれども、これを余りゆるやかに解しては、公訴事実の同一性と同じことになつてしまう。ただし、実際の用語例としては、公訴事実の同一性と混同した傾きのあるものが見受けられる。

かような訴因の同一性の概念は、事実記載説をとる場合に意味をもつ。構成要件説に従えば公訴事実の同一と構成要件の同一とによつて訴因変更の要否がきめられるから、別段訴因の同一性の概念を必要としない。これに反して事実記載説では、訴因の事実が異なれば原則として訴因変更を要することになるから、訴因の異同を論ずる必要があるのである。

(二)　事実の詳細化・表現上の相違　　訴因と同一の事実を認定する場合には訴因変更の問題が起らない。けれどもわが国の判決は訴因につき有罪無罪を判定するだけでなく、自ら罪となるべき事実を認定するのであるから、多少の相違の生ずるのは事実認定の性質上当然である。そして起訴状に記載される訴因は概して簡潔であり、必要最小限度の具体的事実のみを記載する場合が多い。これに対して判決に示される犯罪事実は、訴因がそのまま引用される場合もあるが(刑訴規則二一八条)、訴因よりも詳細に認定されるのがむしろ通例である。かように、訴因に比較的簡潔・抽象的に記載された事実を判決においてもつと詳細・具体的に認定することが訴因の拘束力に反するものでないことはいうまでもない。同一の事実に対する表現上の相違があるにすぎない場合も同様である。この場合には訴因の同一性があるといえる。次の事例はほぼこの場合にあたるといえよう。

【29】　「論旨は、起訴状記載公訴事実の二には「同年六月十八日頃同所において同人及びその家族に対し、商売がうまくゆかぬから金をくれ、今後は絶対無心は言わぬと申向けて、その要求に応じないときは、右同様

暴力を振うような態度を示して脅迫し、その旨同人及び家族に畏怖の念を抱かせ云々」と記載されているのに原判示第一の事実（即ち公訴事実の二に当る）には「昭和二十五年六月十八日頃右直一方において同人及び義母アイに対し、商売が面白くないから五千円くれ、と要求したが、直一が今金がないからと云つて拒絶したところ同家の台所にあつた七輪を放り鍋を投げつける等の暴力を振い、同人やその家族の身体に危害を加えるような気勢を以て同人を脅迫し云々」とあるから、原判決は、検事の起訴した公訴事実の範囲を逸脱し、その起訴しなかつた事実につき審判をした違法がある旨主張する。しかし、右両事実を比較対照し、且つ記録を精査すると原判示事実は証拠に基き公訴事実に「同人及びその家族に対し」とあるのを「同人及び義母アイに対し」とその被害者を一層明確にし、又「右同様暴力を振うような態度を示して脅迫し（即ち、この個所は、公訴事実第一の脅迫手段に関する記述を引用したものであるから、その趣旨は「暴行等危害を加えるような態度を示して脅迫し」との意味）」とあるのを、「同家の台所にあつた七輪を放り、鍋を投げつける等の暴力を振い、同人やその家族の身体に危害を加えるような気勢を以つて同人を脅迫し」として、右脅迫手段の内容を一層明確にしているに過ぎず、右両事実は彼此全く同一訴因事実であつて、この程度の訴因事実の訂正は敢えて訴因変更の手続を履まずとも、被告人の防禦権の行使には何等実質的支障をも来さないところであり、裁判所が自由に行い得るものと解せられる。」（大阪高判昭二八・四・二七刑集六・四・五二七）。

次の事例では、弁護人は訴因にいう「会社の業務」を会社の操業と解し、「工場長の業務」とは別個のものであると主張しているが、最高裁判所は表現の相違にすぎないと認めている。

【30】（事実）　訴因には「被告人は会社変電室で工場長の制止に拘らずこれに反抗して送電スイッチを数回にわたり切断し送電を不能ならしめ、もつて会社の業務を妨害した」とあるが、原審は「被告人は変電室で送電設備の状況を監視していた工場長に対し同人の制止に拘らず同人に組みつき下駄をふり上げる等の暴行脅迫をし、その間数回にわたつて工場用スイッチを切断し、もつて同人の業務を妨害した」と認定した。

（判旨）　本件訴因と第一審判決の認定した事実との間の差異は、前者は所論会社の業務妨害であり、後者は佐々木工場長の送電設備状況監視の業務妨害であるという点に存するのみであつて、しかも右工場長は所論会社の工場の長で、会社の業務を職務として執行するものに外ならず、第一審判決の認定した右工場長の業務を妨害した行為は、すなわち右会社の業務を妨害した行為に外ならないことが認められる。してみれば、第一審判決の認定した事実と、起訴状記載の事実との間には、犯罪の客体の判示につきいささか表現を異にしただけでその同一性につき欠けるところはなく、従つて、第一審判決のなした事実認定及びこれを肯認した原審判決には何等の違法はない。」（最決昭二八・三・五刑集七・三・四四三）。

（三）　事実の僅かな相違と訴因の同一性　右の場合と判然とは区別し難いが、事実に相違が認められるときでも、その相違がきわめて僅かであるとき、あるいは実質的には同一と認められるときは訴因の同一性があるといえよう。

【31】（事実）　起訴状に「被告人は納税組合設立の件が議せられている労働組合大会の席上『現在工事中の観光道路は幅三間で戦車が通るようになつているという事は米ソ戦争の際アメリカの軍用道路に使われるのだ。（中略）其の様な税金を納めるのには反対だし、従つて其の様な税金を納める為の納税組合にも反対である』旨発言して地方税を納入しないことをせん動した」と記載して起訴されたのに対し、第一審判決は被告人の発言内容として「委員長は税金が戦争準備の為に使われていないというが、平衡交付金が減らされた事自体戦争準備の為に使われている証拠だ」との文言を起訴状記載とほぼ同じ文言の冒頭に附加して判示した。

（控訴審判旨）　「前者〔附加事実〕は単に後者〔訴因〕の意味を明らかならしむるか又はその意味を強めたるに過ぎないことが認められ本件の訴因そのものには何等のかかわりもないのであるから右事実はこれを前記公訴事実の同一性あるも訴因として掲げられない事実とは言い得ないのである。」（札幌高判昭二六・八・七刑集四・八・九六五）。

（上告審判旨）　「第一審判決が附加した事実は、訴因の内容たる事実を明確にし詳細にしたに止まり訴因に変動を来すものではなく、従つて公訴事実の同一性を害するものでもないから、第一審判決は審判の請求を受けない事件について判決をしたものではない。故に所論違憲の主張はその前提を欠き上告適法の理由とならない。」(最判昭三〇・一一・三〇刑集九・一二・二五二九)。

【32】「原判決の認定したところは、起訴状が訴因として掲げたところを一層具体的に正確且つ詳細に判示したに過ぎないものであつて、その詐欺の欺罔手段の態様として些かも異なるところはなくその法律上の構成においても格段の影響を及ぼすものとも認められない。（中略）なるほど、第一事実において起訴状が株式会社丸三商店は実在せず経営者でもないのにといつておるのに対し原判決が右商店は、事実上解散して営業中止の状況にありたるに拘らずと判示していることは、私法上の観点からすれば、前者は法人の不存在を意味するのに対し後者はその存在を肯定しているのであるから、一見甚しく事実が相異する如くであるけれども、両者の意味するところは、要するに株式会社丸三商店なる法人が現実に積極的な商取引をしていないのに、従つて本件取引は被告人と原審相被告人松尾のいわば個人的な取引であるのに恰も別個の法人格である丸三商店の取引である如く装いこれを相手方に対する欺罔手段に供したことを表現せんとしていることが明らかであるからその間に具体的な事実関係を異にするような点は存しないのであつて、（中略）この程度の起訴状記載の訴因とその表現において異なる原判決のような認定をするには訴因変更手続を採るの要のないものといわなければならない。」(東京高判昭三〇・二・一四高裁特報二・四・七五)。

【33】「予備的訴因（罰条）の追加請求書の公訴事実によれば「被告人は……中略……かねてズボンのバンド下の左後方に所持していた匕首一口を前の方に動かしてその束を見せ、要求に応じなければ身体にどういう危害を加えるかも判らないというような態度を示し、因つて同人（大島）を脅迫したものである。」とあり、原判決の認定によれば、「被告人は……中略……ズボンのバンド下の後方に隠して差していた刃渡り三寸位の匕首を前の方に廻して、その束を弄び、「打殺してやる」と申向け、同人（大島）が被告人の要求に応じないときは、その生命又は身体に対して危害を加うべきことを以つて同人を脅迫したものである。」というのであつ

て、公訴事実の記載と原判決認定の事実との間に若干の相違があり、生命に対して危害を加らべきことを以つて脅迫したことは、公訴事実の中に記載されていないことはまことに所論のとおりである。しかし、健全な常識による一般的な観察を以つてする限り被告人が大島に対して加えた脅迫の所為自体としては、公訴事実と原判決認定の事実とは、全く同一の事柄を指向するものであつて、両者別個の事柄に属するものとは認められない。」「公訴事実に包含表明されるところの事実が、訴訟手続における実体形成の進展過程において多少の変形を伴うことは、むしろ通常の事象であり、必然の事柄でさえある。盗品の数量、価格等に例を藉りれば事おのずから明白であろう。社会的な観察において事件の同一性が失われない限り、裁判所は公訴事実の文言に拘束されることなく、明らかにされた事案の真相に従つて事実の認定すべきであること言をまたない。原判決の事実認定を目して、審判の請求を受けない事件について判決した違法ありとする論旨はもとより採用の限りでない。」(福岡高判昭二六・二・二三刑集四・二・一三〇)。

右の最後の判例が「社会的な観察において事件の同一性が失われない限り」といつているのは表現として不正確である。それでは公訴事実の同一性と同じことになる。類似の判例として東京高裁判決(昭二六・八・三一刑集四・九・一一二七)がある。

三　法律見解のみの変更

事実記載説は、訴因の事実の面にだけ着目して、事実が同じであれば、これに対する構成要件的評価が異なつてもなお、訴因は同一であり、罰条が異なるにすぎないと主張する。ここが構成要件説と根本的に異なる点である。判例にも、事実記載説のこの見解が採用されている。しかも、罰条についても、被告人の防禦に実質的な不利益を生ずるおそれがないときは、変更の手続をしなくてもよいという。

【34】（控訴審判旨）「原判決の認定した事実によれば、大垣信用組合の出納係事務員が、岩田吉次に支払うべき現金三万五千円を誤つて被告人に交付し、被告人はこれを受領して保管中、右返還を拒否して着服横領したと謂うにあつて、右現金三万五千円は、被告人に形式的に占有の移転が為されたものであるけれども、その授受の内容に錯誤があるもので、右出納係事務員の真意に基かないで、その手を離れたものと謂うことができるから、右現金は、刑法第二百五十四条に所謂「占有を離れたる他人の物」と解すべきものである。従つてこれを横領した被告人の責任は、刑法第二百五十四条に該当するもので、原審がこれに同法第二百五十二条第一項を適用したのは、法律の解釈適用を誤つたことになる。」

（上告審判旨）「原判決は第一審判決を破棄して自ら判決をなすに当り、訴因・罰条の変更手続を経ることなく一審の横領の認定を変じて占有離脱物横領としたことは所論のとおりであるが、本件被害金員を被告人が占有する関係を前者は委託に基づくものと観るに対し、後者はこれを占有離脱物の占有と観るに外ならず、すなわち、同一事実に対する法律的評価を異にするに過ぎないもので固より両者訴因を異にするものというを得ない。かくして問題は罰条の記載の点であるが、一審における各罰条の記載と原審の適用した罰条とが違つていることが被告人の防禦に実質的な不利益を生ずる虞があるか否かについて考えると、原審において弁護人は第一審判決がした横領の事実認定を非難し自ら占有離脱横領と認定すべき旨主張していること並びに横領罪と占有離脱物横領罪との刑の軽重等を考慮すれば、右罰条の記載の誤りは被告人の防禦に実質的な不利益を生ずる虞があつたものとは認められない（昭和二六年六月一五日第二小法廷判決【117】参照）。」（最判昭二八・五・二九刑集七・五・一一五八）。

この事例を見ると、なるほど被告人が出納事務員の誤つて交付した金銭を受領して保管中着服したという事実は同一である。しかし、横領罪と占有離脱物横領罪とでは事実の構成のしかたが異なる。このような相違は、法律見解、すなわち法律解釈または事実に対する構成要件のあてはめ方に関する見解の相違から生ずる。したがつてそれはいわゆる法律的実体形成の面における発展である。しかし実体形成における法律面と事実面とは不可分の関係にあり、相互に影響を及ぼすのである。一方は訴因、一方は罰条というように単純に区別することはできない。両者は一体のものとして把握すべきである。しかも事実の変更であろうと法律見解の変更であろうと、被告人の防禦方法に影響を及ぼす点では同じである。したがつて、右の判例に対しては疑問を抱かざるを得ない。しかし、右の場合はまだ後述する縮小認定の一場合と見ることもできる。次の判例を見よう。

【35】（控訴審判旨）「当裁判所が被告人名越に対する本件公訴事実に基いて詐欺の成立を認め、刑法第二百四十六条を適用したのは、訴因罰条の変更なくして本件起訴状に掲げられたところと異なる訴因を認定し、異なる罰条を適用したものに外ならない。しかし、本件公訴事実に基いて被告人名越の所為を背任を認定し或いは詐欺と認定するも、公訴事実そのものには何の変りもなく、唯これに対する法律見解を異にするに過ぎず、公訴事実の同一性は失われないのみならず、既に明らかにしたとおり、原審において弁護人は検察官の請求した再度の訴因、罰条の変更について、異議の理由として、被告人名越の所為は詐欺であつても背任ではないと述べた程であり、また、当審においても、控訴趣意として同趣旨の主張を繰返えしているのであるから、かかる場合には訴因罰条の変更手続をとらないで背任の訴因罰条に比し重い詐欺の訴因を認定し、重い詐欺罪の規定を適用するも、被告人名越の防禦に実質的な不利益を生ずることはないというべきである。」（広島高判昭二六・八・二九刑集四・八・一〇〇二）。

（上告趣意の一節）「弁護人が原審に於て、仮に犯罪成立するとすれば詐欺罪であると主張したのは……起訴事実そのものが詐欺罪の構成要件を満していることを容認したものではない。（中略）然るに原審はそれを口実として直に訴因変更を為さず、詐欺罪として判決したことは新刑訴法の精神より観るも違法な措置である。」

（上告審判旨）「第一審判決は背任の事実を認定し、これに対して背任罪の規定を適用しているのであるが、他人の委託によりその事務を処理する者が、その事務処理上任務に背き本人に対し欺罔行為を行い同人を錯誤に陥れ、よつて財物を交付せしめた場合には詐欺罪を構成し、たとい背任罪の成立要件を具備する場合でも別に背任罪を構成するものではないと解すべきであるから、第一審判決が本件起訴状に基いて背任の事実を認定しこれに対して背任罪の規定を適用してもそれは詐欺の事実が確定されているものといわねばならない。従つて第一審判決は詐欺の事実を認定しながら背任の法条を適用した誤があるものといわねばならないから原審が第一審判決を破棄した上適条の誤を正したのは正当であり、右のような場合には訴因の変更を必要とするものではない。」(最判昭二八・五・八刑集七・五・九六五)。

かくて判例は、背任罪の訴因に対し重い詐欺罪を認定する場合にも訴因変更を要しないという結論を導き出した。罰条の変更手続の点については、最高裁判所は判断を回避しているが、原審は明らかに訴因罰条の変更手続を不要と認めているのである。原審は、弁護人が詐欺罪の成立を認めたようなことを言つているが、控訴趣意書によれば、弁護人は明らかに事実そのものを争つているのであり、「詐欺罪成立するとするも詐欺罪の訴因なく訴因によらざる認定を為すに由なきを以つて結局無罪言渡を為すべきが当然」と主張しているのである。それゆえ、防禦に実質的な不利益を生ずることはないというのは独断であつて、だまし打ちといわれても仕方がないのである。この判例が確立されるとすれば、訴因制度の意義はなかば消滅することになるであろう。同じ見解にもとづく判決がその後も現われている。

【36】「原判決が起訴状記載第三の公訴事実(業務上横領)について、これを判示第三のように認定し、背任罪の成立を認めていることは所論のとおりであるが、右は右公訴事実に表示されてある抵当権設定の登記手

続をしたと云う事実が業務上横領罪を構成するか、背任罪を構成するかの法律的評価を異にしたに過ぎないのであり訴因の内容たる事実そのものに異なるところはなく、又右のように業務上横領と云う罰条を背任の罰条に変更認定することは被告人の防禦に実質的な不利益を生ずる虞あるものとは認められないから、原審はこの点においても所論のような違法はなく論旨は理由がない。（最高裁判所第二小法廷判決【34】参照）」（東京高判昭二九・一一・一九高裁特報一・一二・五五二）。

【37】（事実）公訴事実は「被告人は某劇場でストリップ・ガールをして着衣を脱ぎ陰部を露出するわいせつな踊りをさせた」というので、刑法一七五条（わいせつ物陳列）で起訴され、第一審は同じ事実を認定し同条を適用したが、控訴審は破棄自判し、同じ事実を認定して刑法六一条一項、一七四条（公然わいせつ教唆）を適用処断した。

（判旨）「原審において認定した事実は事実に対する法律的判断を異にするだけで本件公訴事実と全く同一であつて公訴事実の同一性の範囲内で罰条の記載の誤を正したとしても所論のように被告人の防禦に実質的な不利益を生じたものとは記録上認められない。」（最決昭三〇・七・一刑集九・九・一七六九）。

右の事件になると、少なくとも判文の上では、訴因の同一性は公訴事実の同一性に解消し、公訴事実の同一性の範囲内で罰条の誤りを正すのは自由だということになつてしまつている。【1】の旧法判例が復活したような感を与える。なお、暴行と暴力行為等処罰に関する法律違反との関係につき札幌高裁判決（昭二五・六・二四刑集三・二・二三五）がある。

四　罪数の変更

（一）数個の訴因を一罪と認定する場合　一定の事実を一罪と見るか、数罪と見るかということも、構成要件的評価である。したがつて事実記載説によれば、前と同じ理論によつて、数罪として起訴された事実を科刑上一罪として認定するについては、事実に変動のない限り訴因変更を要しない。判例はその見解をとつている。

【38】「併合罪として起訴された事実を一罪として処断しても被告人に不利益を及ぼさないから原審が訴因の変更の手続を経ないまま判示の如く事実を認定し之を一罪として処断したのは決して違法ではない。」(福岡高判昭二八・一二・二六特二六・六四)。

【39】「検察官が起訴状に於て数個の訴因を掲げた場合に於て審理の結果これ等は一個の所為で数個の罪名に触れるに過ぎないと認められるが如き場合に於ては裁判所は訴因変更の手続を用いず自由にこれを認定することができるものと解すべきであつて、かく解することによつて被告人の利益は毫も害されないし、防禦方法に不利を来すこともないのである。」(東京高判昭二六・四・二五特二一・八三)。

【40】「本件起訴にかかる訴因は、第一、第二事実とも昭和二二年勅令第一号違反の事実であり、ただ、第一事実は同時に公職選挙法違反の訴因をも包含するものであることは明らかである。されば、原判決が判示第一事実において起訴状記載の第一事実中の公職選挙法違反の事実を認定した外起訴状第一事実中の同勅令違反の事実と起訴状第二事実中の同勅令違反の事実の一部とを併せて一個の同勅令違反の事実を認定して、これを公職選挙法違反と同勅令違反の一所為数法の場合であるとしたからといつて、何等訴因を変更したとはいえない。」(最決昭二六・二・二二刑集五・三・四二九)。

右の最高裁判例を見ると、最高裁が法律構成の変更についてきわめて自由な見解をもつていることがわかる。次の事例は起訴が二回に分れている場合である。検察官が数罪として起訴したのであるから公訴棄却を要しないとする点は妥当であると思うが、少なくとも非常習の事実を常習に変更するについては訴因罰条の変更を要するのではなかろうか(参照、札幌高判昭三〇・一二・二七刑集八・九・一一七九)。

【41】（事実）検察官は昭和三〇年二月二二日付起訴状により「被告人は……共謀の上同年二月一〇日松阪市……で覚せい剤注射液九七二本を所持していた」旨の訴因、覚せい剤取締法一四条一項、四一条二号の罰条により起訴し、ついで同年四月五日付起訴状により「被告人は……共謀の上常習として（第一）同年一月七日頃から同年二月二日頃迄の間接続して前後約七回にわたり大阪市……高方その他で同人から覚せい剤注射液合計約二四五〇本を譲受け、（第二）同年一月七日頃から同年二月一〇日頃迄の間接続して前後約一八五回にわたり松阪市の居宅で松永外一八名に対し覚せい剤注射液合計約一三八二本を販売譲渡した」旨の訴因、同法一七条三項、四一条一項四号、四項の罰条により起訴し、原審は右第一次第二次起訴を併合審判し、訴因罰条の追加変更等の手続を経由しないで、第一次第二次の公訴事実を包括して常習の覚せい剤取締法違反の一罪と認定し、同法一四条一項、一七条三項、四一条一項二号四号、四項を適用処断した。

（判旨）「原審は検察官が第一次の公訴事実を非常習として起訴したのに対し、何等訴因罰条の追加変更等の手続を経ないで第二次の常習の公訴事実と共に包括して重き常習の一罪と認定したことの当否につき案ずるに、斯くの如き起訴の形式の下に原判決認定の如き判決がなされるには予め第一次起訴の訴因を第二次起訴の事実を附加した包括的常習の一罪と変更すること及び第二次の起訴に対し同法第三百三十八条の公訴棄却の裁判を為すことも考えられるが、本件は当初から原審において右第一次第二次の起訴にかかる公訴事実を併合して審理したものであり、第一次の非常習の訴因をその儘常習に事実認定したものでなく（非常習の訴因を常習と認定するについては訴因変更の手続を要することは論をまたない）、第一次の非常習の訴因を第二次の常習の訴因に附加して審理した上包括して常習の一罪と認定したものであるから、その間被告人の防禦に何等不利益を生じたことも又生ずべき虞のあつたこともなく、而も検察官が二個の事件として二回に亘り公訴を提起したときは仮令裁判所が審理の結果一個の事件と認定したとしても、起訴の際は夫々適法な手続であつたのであり、且つ各起訴後の原審の併合審判の経過に鑑みれば一個の公訴事実につき二個の有罪判決を生ずべき危険は全然あり得なかつたものである。従つて原審が前記の如き訴因変更又は公訴棄却の方法に出なかつたことに非難すべき点なく、又原審が所論の如く公訴提起なき事実乃至審判の請求を受けない事件につき判決をしたことにならないことも当然である。」(名古屋高判昭三〇・一一・一五刑集八巻追録一)。

(二)　一個の訴因を数罪と認定する場合　この場合は刑の点からいつても明らかに被告人に不利益である。ことに税法等罰金につき併合罪の例によらない場合はなおさらである。しかし最高裁はこの場合にも訴因変更を要しないとする。

【42】(事実)　「被告人は製紙業者であるが昭和二五年一月から六月までの間製造場から積出した京花紙につきこれを所定の帳簿に記載せず、かつ所定の申告をしないでこれに対する物品税を脱れた」という事案であるが、訴因および第一審はこれを一罪としたのに対し、控訴審は「数ケ月に亘つて逋脱行為があつた場合においては各月の分毎に物品税逋脱罪が成立するものと解するを相当とする。」という理由で破棄自判し、六個の併合罪として処断した。

(上告趣意)　被告人の本件行為は物品税法一八条の一罪として訴追されているに拘らず、原審が訴因の変更を命ぜずしてこれを数罪として処罰したのは違法である。何となれば物品税法違反行為が数罪と認められれば、同法二一条により刑法四八条二項の適用が排除されるから、刑が著しく重くなり、一罪として認定される場合よりも被告人にとつて不利益である。原審のとつたこの措置は高裁の判例【64】【79】に違反する。

(判旨)　「所論援用の高等裁判所判例のうち、前者は、検査合格品である靴を統制額をこえて販売したという訴因に基いて、無検査品である靴を統制額をこえて販売したとの認定をした場合、後者は、従犯の訴因に対して正犯と認定した場合に関するものであつて、本件とは事例がちがい、原判決は何等これらの判例と相反する判断をしてはいない。従つて所論判例違反の主張は理由がない。のみならず、起訴状には、別表として犯罪一覧表が添付され、これによつて、物品の各移出毎に日時、数量、価格等が明確となつており、原判決は、そのとおりの事実関係(ただし各月にまとめて)を認定したうえで、各月分毎に一罪が成立するものとしただけであるから、訴因変更がなくても違法とはいえない。」（最判昭二九・三・二刑集八・三・二一七）。

しかし、高等裁判所の判例は、この場合には訴因変更を要するとするようである。

【43】「一個の窃盗罪として起訴されている事実を裁判所において二個以上の併合罪として認定するには刑事訴訟法第三一二条第二項の規定に基き訴因の追加又は変更を命じ被告人をして防禦権を尽させる手続を経べきものであるのに、かような手続を経ないで一個の起訴事実を二個の犯罪として認定した点において所論の如く審判の請求を受けない事件につき審判をしたものとは認められないが訴訟手続に法令の違反があるものというべく、しかして右の違法が判決に影響を及ぼすことが明らかである。」（福岡高判昭二九・三・三一特二六・七六）。

【44】（事実）「被告人は昭和三〇年五月七日より同年六月五日迄の間一八才に満たないA女をして約六二名と対価を得て情交せしめ以て児童に淫行させた」という起訴に対し、原判決は、訴因変更の手続を経由することなく、「被告人は料理店を営む者であるが、当時一八才に満たないA女の年令を確認せず、また同女の一八才である旨の言を聞いただけで、第一、昭和三〇年五月七日頃から同月九日頃までの間、前後五回位にわたり、同所において同女をして、氏名不詳の数名と報酬をえて情交させ、第二、同月一〇日頃から同年六月五日頃までの間、前後五七回にわたり同所において同女をして、氏品不詳の多数者と報酬をえて情交をさせ以て児童に各淫行をさせた」という児童福祉法三四条一項第六号違反の犯罪事実を認定判示している。

（判旨）「包括一罪として起訴されたものを訴因変更乃至追加の手続を経由しないで併合罪と認定することは、本件のような同一構成要件に属する数罪の認定の場合であつても、被告人の側の実質的な利益乃至防禦という見地からすれば、不当な不意打を加えその防禦に実質的な不利益を与えることを免れないのであるから、原審が前記認定について訴因変更乃至追加の手続を採らなかつたことは判決に影響を及ぼすことの明らかな訴訟手続上の法令違背が存するものといわなければならない。」（東京高判昭三一・二・二二刑集九・一・一〇三）。

次に、左の事例のように結合罪（特に強盗傷人）の訴因を数罪に分割する場合がある。判例は実質的な不利益を生じないとして結局訴因変更を要しないとするようである。処断刑の短期が低くなる点に著目したのであろう。

【45】「刑法第二百四十条前段の強盗傷人の一罪として起訴されたものを傷害及び強盗の併合罪として認定する場合には自らその訴因及び罰条に変更をきたすのであるから、かかる場合には刑事訴訟法三百十二条により検察官の請求又は裁判所が命ずることにより訴因及び罰条の変更が当然なさるべきであるが、然しこれとてもその変更により被告人の防禦に実質的な不利益を生ずる虞がないときにはあえてそれをしなかつたと云つても別段違法として咎むべき筋合のものでない。」(広島高判昭二六・八・三〇特二〇・三八)。

【46】起訴状には強盗傷人の訴因罰条が記載せられているところ、原判決は恐喝未遂と傷害の事実を認定したこと所論のとおりであるが、恐喝未遂と傷害の事実はその犯行の日時、場所、方法等いずれも起訴状起載の訴因たる強盗傷人と基本的事実関係において一致しているのみならず、前者は後者の制限縮少された態容の事実というべきで、原判決が訴因の変更を命ずることとすらせずに前者の事実を認定したのは、妥当でないとしても被告人に実質的に不利益を及ぼしたものと認められないから、違法ではなく、論旨は理由がない。」(東京高判昭三〇・七・五高裁特報二・一四・七二六)。

三　訴因変更が必要とされた事例

一　構成要件が同一の場合

事実記載説によれば、事実が変るときは原則として訴因変更を要する。判例は大体において基本的にはこの見解をとりながら、実際には後述するように広い例外を認めている。そこでまず、判例において訴因変更を要するとされた実例を挙げて見よう。ただし、ここに挙げる判例は必らずしも確定されたものとはいえない。事実の拘束力を検討するために、最初構成要件が同一の場合を掲げる。

（一）　日時・場所　日時・場所だけの変更については、判例は一般に訴因変更を要しないとするか、または当該の場合にはこれを要しないとするものが大部分であるが、稀に訴因変更を要すると認められた事例がある。次の【43】は防禦の上に重大な関係があると認められた例、【48】は日時が犯罪の成否に関係を有する場合である。

【47】（控訴趣意）「原審では被告人が昭和二四年一月上旬頃松本常太郎より選挙費用等一万六千円を受取つた事実を以て有罪としたが、本件起訴状によると、昭和二三年一一月末頃一万六千円を受取つたこととなつて居り、全然その年月を異にしている。従つて原審は起訴なき事実を以て処罰した違法がある。」
（判旨）「本件公訴事実は被告人が徹定的に否認するところであり、その日時の点は場所及び授受した利益の点と共に証拠の判断及び被告人の防禦の上に重大微妙な関係を有するものと認められるのであつて、単なる起訴状の誤記と認むべき場合ではないというべきである。原審が先ず検察官に訴因の変更を命ずることなく、公訴事実記載の日時より約二月遡つた日時に本件事実を認定判示したのは、訴訟手続に判決に影響を及ぼすことが明らかな法令の違反がある。」（高松高判昭二五・四・八特九・一九四）。

【48】「起訴状の第二の二の事実は昭和二十四月四月頃日不詳鹿島参宮線石岡駅から麻生へ向う列車内で紺色スフのズボン一着を収受したというのであるところ、原判決はその日時を昭和二十二年十二月頃と変更して認定していることは所論の通りである。よつて案ずるに、一般に犯罪の日時は公訴事実の基本的な要素でないから、日時の多少の相違については敢て訴因変更の手続を経る必要がないものと考えられるが、犯罪の日時が犯罪の成否に重大な関係を持つような場合には被告人の防禦に実質的な不利益を生ずる虞があるものとして訴

因変更の手続を経且つ若し必要あるときはその防禦に必要な準備の期間を置かなければならない。本件について見ると起訴状には被告人が昭和二十一年四月より同二十三年十一月迄土浦税務署直税課長として直接国税の賦課減免その課税標準の調査その他法の定むるところにより直税一般に関する職務に従事中と前書して前記第二の二を起訴したことが明かで、日時関係上右昭和二十四年四月は、被告人が右職務中でないことが認められるから、起訴状の公訴事実自体に矛盾不備があることが一見明瞭である。このような場合においては裁判所は釈明権を行使して、右訴因の変更撤回等を検察官に命ずる等適当な措置を講ずべきであり、その手続をしないで判決において、右日時と異なり被告人の在職中の日時に変更認定することは許されないものと解せられる。」(東京高判昭二六・一二・二八特二五・一四一)。

（二）　行為　行為の方法・態様等に顕著な差異のある場合には、訴因変更が必要とされている。

(1)　詐欺の方法が異なる事例

【49】「起訴状における第二の事実は被告人は昭和二十三年九月二十三日頃山田村役場において、同人に対して国山文吉外十一名の転出証明書二通を示し同人等が山田村に居住し同村に転入するものである様に申偽き配給係員を欺罔し右国山を世帯主とする家庭用主要食糧購入通帳を交付させ、これを騙取したものであるというのであつて原判示第二のごとく「被告人方の人夫を使として」転出証明書「及び家庭用主要食糧購入通帳」を提出し「新に家庭用主要食糧購入通帳を発行する代りに前住所地における前記通帳に住所の移動訂正をし転入の検印を為したものを転入地における有効な通帳として交付せしめ」というのではない。（中略）原審は右のように起訴状記載の公訴事実に対して慢然原判示第二のように裁判をしたのであるから、刑事訴訟法第三百七十八条第三号の場合に当り控訴趣意中この点に関する限り論旨は理由がある。」(大阪高判昭二五・六・八特一三・四七)。

【50】破棄。「原判決が認めたところと、起訴状（その追加及び変更を含む）に訴因として表示されたところとは、その欺罔手段とされる具体的事実関係において、一方〔訴因〕は伊藤が〔公団に〕任命されなかつた

のに任命された如く装つて欺罔し〔俸給等名下に金員を騙取し〕たと云うに対し、一方〔判決〕は任命されたが、出勤しないのに、出勤したように装つて欺罔したと云うのであつて、任命の有無について全く相反するものであり、しかも本件記録によれば右任命の有無が原審における重要な争点となつていたことが窺われるのであるから、かかる場合に、この点に関し訴因変更の手続をなさしめないで、判示のように事実関係を変更認定した上、これを詐欺罪に問擬することは、従来専ら起訴状記載の訴因について防禦方法を講じて来た被告人に不意討の感を抱かせるものであり著しく被告人の防禦権を害するものといわなければならない。」(東京高判昭二八・六・一一刑集六・七・八三一)。

【51】(事実)「起訴状記載の公訴事実は、「被告人は伊早坂と共謀の上昭和二十四年十二月二十九日桐生市上毛電鉄西桐生駅附近において関に対し真実に金円を借入れてやる意思がないのに有る様な風をして現金二十万円を日本無尽株式会社高崎支店に積めば五十万円位借入れすることが出来るから其の手続をしてやる旨申詐り其の旨同人を誤信せしめて借入資金名下に桐生市末広町日本無尽株式会社桐生支店に於て同人より現金二十万円を交付せしめて之を騙取したものである」となつているのに、原判決においては、「被告人両名は共謀の上昭和二十四年十二月二十九日頃予て関が右伊早坂の斡旋で日本無尽株式会社桐生支店から之れと無尽契約を結んで五十万円を借入れる為の同支店に掛込んであつた掛金二十万円を詐取しようと企て右関が金融事情に暗いのを奇貨として被告伊早坂に於て同社右桐生支店では埒が明かぬから同社高崎支店で五十万円借りてやろうと真実五十万円の金融を得させるが如く申向けて関を欺罔し同人名義の右二十万円を右桐生支店から払戻を受けさせ、被告人田村に於て自己が同社高崎支店員なるが如く見せかけ右二十万円の無尽掛金に因り五十万円を高崎支店から融通しやるが如く装つて相共に同人を欺き同県高崎市協和軒に於て即日同人から右二十万円を騙取し」と認定判示している。」

(判旨)「原判決は、被告人の防禦にとつて幾多重要な点について起訴状記載の訴因とは異なる認定をしているのであつて、これを、記録につき原審における審理の経過と、原判決の挙示する証拠の内容とに照らして検討考察するときは、原判決が、訴因変更の手続を経ないで、前示の程度に起訴状の記載と異る認定をしたことは、被告人の防禦に実質的な不利益を及ぼすべき措置であつたと認めざるを得ない。」(東京高判昭二七・一〇・三〇特三七・六六)。

右の最後のものは、事実のどの部分を詐欺の構成事実と見るかという点、すなわち構成要件のあてはめ方において差異があることに注意しなければならない。

(2) 横領の態様が異なる事例　次のように、費消横領と着服横領とのように行為の類型を異にするときは訴因の変更を要するとするものがある。この両者は、構成事実としてとらえられる行為そのものが明らかに異なり、したがつてしばしば日時場所にも相異を生ずるのである。

【52】「本件訴因も原判決の認定事実も共に業務上横領事実であつて犯罪の構成要件は同一であり且つ犯罪の日時、集金先、被害者、横領金額等の点につき両者は同一であるけれども(犯罪の場所は異る)前者は所謂費消横領であり後者は所謂着服横領であつて均しく横領であるとはいえ両者は不法領得の意思発現の態様において異るものがあり犯罪行為の類型を異にしていると謂わなければならない。また訴因が費消横領であるか着服横領であるかは被告人の防禦に相当影響を及ぼすことであり、訴因が費消横領である場合裁判所がこれを着服横領と認定するには訴因変更の手続を必要とするものと解するを相当と考える。〔中略〕〔しかし〕原審が訴因変更の手続を経なかつたことにより被告人の防禦に実質的に不利益を及ぼしていることは　到底認められない。従て原審……は訴訟手続上違法たるを免れないけれども、本件の場合右違法は判決に影響があるとは認められないから原判決を破棄すべき理由は存しない。」(高松高判昭二七・九・二五刑集五・一二・二〇七一)。

ただし、これには次のように反対の判例もあり、最高裁判所の見解はまだ明らかにされていない。

【53】「原審において、各着服横領の事実を訴因として掲げてある起訴に対し、何等訴因変更の手続を履践することなくして原判決がこれを費消横領と認定したこと所論のとおりである。しかしながらこの程度の認定

の変更にはあえて訴因の変更は必要でないと解するのを相当とする。」（東京高判昭二五・一〇・二特一三・八）。

【54】「本件の場合は被告人が業務上保管中の農林省共済組合山口食糧事務所支部の金員を不法に領得した事実が訴因である。従つてこの事実に変更がない限りその不法領得の方法が費消であるか着服であるかどちらかになつても訴因に変更を来たさないものと言うべく、してみれば費消横領で起訴されたものを着服横領として認定するも何等訴因変更の手続をとる必要はない。」（広島高判昭二六・二・二七特二〇・一一）。

さきの【52】も訴因変更の必要は認めているものの原判決を破棄していないが、次の二つは破棄判例である。ただしこれは態様の違いが一層顕著で、【55】は目的物の数量等、【56】は罪数、金額等にも変更のある場合である。なお【28】参照。

【55】「本件に於て起訴された所論畳表に関する被告人の横領行為は結局被告人が擅に㈠(イ)笹川に対し右畳表八枚、(ロ)奥山に対し同畳表六枚を夫々無償交付し、㈡被告人方自家用として同畳表二十九枚を使用し、㈢(イ)松木に対し同畳表二十九枚、(ロ)西脇に対し同畳表三枚を夫々交付し、㈣自ら同畳表八十六枚を着服したものであると謂うに帰着し、従つて被告人が横領したものとして起訴された同畳表の数量が都合合計百六十一枚に限られていることは洵に所論の通りである。然るに此の点に関する原判決の理由説示を観ると、原判決は被告人が所論畳表二百枚を着服横領した旨の有罪事実を認定しており、其の横領行為の態様に於て、起訴に係る横領行為の態様と異るのみならず横領した畳表の数量に於ても、起訴に係る畳表の数量を可成り超えていることが明らかであるから、若し原判決が斯の如く公訴事実と右の各点に関し異つた前記事実を有罪として判決するに際つては、先ず須らく同事実に副うが如くに訴因を追加若くは変更するの手続を経た上で、判決すべきであつた。」（名古屋高判昭二五・七・一〇特一一・八三）。

【56】（事実）訴因においては被告人が業務上占有中の交通公社所有の金員を静岡銀行に預け入れたことを横領としているのに対し、原判決認定事実においては被告人等が右のように預金したことを横領とせず、同銀

行に預入れてある預金中から金員を引出した上内山に貸付けたことを横領とし、また訴因の一部につき一個の横領罪の訴因に対し二個の横領罪の成立を認めて併合罪としている。

（判旨）破棄。「訴因と原判決の認定とはその罪名に於て差異はないけれどもその犯罪の態容（方法）、日時、金額、個数等に著しい相違があり具体的事実としては全然別個のものと認められるから、訴因としてはその同一性を欠くものと謂わざるを得ない。（中略）原裁判所としては右のように訴因と異なる事実の認定をなさんとするには先ず刑事訴訟法第三百十二条に基き検察官に訴因の変更を促し又は命じ訴因変更の手続を履践した上でなければならない……」（名古屋高判昭二六・七・二八特二七・一三七）。

(3) 幇助の方法が異なる事例

【57】「昭和二十七年二月十八日頃生糸がよいから、それを盗んで来いと告げて窃盗を教唆し、または幇助したという公訴事実に対して、原判決が昭和二十七年二月二十五日頃犯行現場に臨みかつ賍物の運搬の具に供するため自己の自転車を貸与し窃盗の犯行を容易ならしめたものと認定したのは訴因として特定した事件以外の事実を認定したもので審判の請求を受けない事件につき判決をしたものというべきである。」（名古屋高金沢支判昭二九・九・一四高裁特報一・五・二〇九）。

（三）動機・犯意

殺人の動機および犯意の具体的内容に関して訴因変更が必要とされた例がある。

【58】「本件殺人罪の殺意の点につき起訴状の訴因は被告人は被害者吉一が土間入口雨戸を薪割で打ち破ろうとしたのでこの暴行を阻止する考えで本件鍬を両手に持つて同人の背後からその右腕辺り目掛けて振り下したところ狙いが外れて同人の右側頭部を殴打する結果となり因つて同人をしてその苦痛から免れさせる為に殺害するに如かずと決意して同人の頭部を更に前記鍬の峯で二回続けざまに強打し因て同人を脳障害で死亡する

に至らしめた旨であるところ、原判決の認定するところは被告人は右吉一が土間入口雨戸を薪割で乱打するのを見て何をするのだと云つて阻止しようとしたが聞き入れないのみか却つて此の野郎と云い乍ら右薪割をかざして立ち向う素振を示した上尚も雨戸を叩こうとするので憤激の余り吉一を殺害してもやむを得ないと決意し馬小屋附近にあつた鍬を取り出し同人の背後よりその頭部を三回殴打し因つて同人をして脳障害の為死に至らしめた旨であることは所論のとおりであり、両者とも被告人が吉一を殺害したものであるという基本的事実には差異がないが、殺意の点に関し起訴状の訴因と原判決が認定するところとはその発生原因、状況、程度が異り、原判決の認定するところは起訴状の訴因の範囲内とは到底認められないのである。しからば原判決がその認定する如く殺意を認定する為には起訴状の訴因を変更した上でなければ許されないところと認められるのに、原審がこの手続を行つた事跡は存しない。」（東京高判昭三二・四・二、高裁特報四・七・一七二）。

（四）　行為の客体たる物　　行為の客体は犯罪の同一性を限定する重要な要素の一つである。それは本来の意味におけるコルプス・デリクティであつて、捜査審判の過程を通じて比較的不変な事件の中核となるものである。たとえば窃盗と贓物収受との間に公訴事実の同一性が認められているのは、目的物の同一にもとづくものにほかならない。したがつて、公訴事実が同一とされる場合において、行為の客体とくに目的物が全然異なることは稀である。

しかし、事実認定の資料・方法または事実の法律的構成の異なる結果、目的物の品目、数量、金額またはその範囲に相違の生ずることはしばしばである。判例は、一般にその相違が僅かである場合には訴因変更を不要とするが、被告人にとつて著しく不利益な変更については訴因変更を要すると解している。

【59】（事実）訴因は「被告人は塩酸コカイン二五瓦入小瓶一本を所持していた」というのであるが、原判決は「被告人は塩酸コカイン二五瓦入瓶五本燐酸コデイン二五瓦入瓶一本を所持した」と認定した。

（判旨）「被告人に対する公訴事実中の塩酸コカイン二五瓦入一本を所持していたと云う事実と、原判決認定の前掲事実とは同一性を有するが、目的物の種類数量が著しく異る。しかるに原審は訴因変更の手続をした形跡は認められない。しからば原判決は審判の請求をうけない事実について審判したという違法はないが、訴訟手続違背の違法があり、右違法は判決に影響あること明白であるから、原判決は到底破棄を免れない。」（東京高判昭二六・一二・一二特二五・八八）。

【60】「本件においては被告人等に対する公訴事実中の前記騙取したという事実と原判決認定の右事実とは公訴事実の同一性はあるが、目的物の金額が著しく異り原判決認定の金額は著しく多額であり、公訴事実の訴因に対し原判決のように認定することは被告人等の防禦に実質的な不利益を生ぜさせる場合と認められるのに本件記録を精査しても原審が訴因変更の手続をした形跡は何等認められない。しからば原判決は審判の請求をうけない事件について審判したという違法は認められないとしても訴因の変更を為すべき場合であるのにその手続を為さず判決をしたという訴訟手続違背の違法があり、しかもその違法は判決に影響を及ぼすものと認められる。」（東京高判昭二七・五・二八特三四・四〇）。

右の判決の事案は、訴因が早期供出奨励金を騙取したというのに対し、供出米代金全額を騙取したと認定したものであつて、法律的構成の相違から横領金額の増額をきたしたもののようである。

【61】「公訴事実には、右一旦手渡した小切手について、即日金九十九万四千百七十六円の返還があつて、被告人は差引金九十五万三千八百四十円を村上広雄に貸付けてこれを横領したとあるに拘わらず原審は敢て右小切手壱通を横領した旨認定したわけである。よつてこれについて考察するのに、右原審認定の事実が右所論公訴事実との間にその同一性を異にするもののないことは、事の態様に照し明瞭であるが、右認定は明らかに右

公訴事実より不利益であり、斯かる認定の為されんがためには、先ず、刑事訴訟法第三百十二条所定の趣旨に従い適式な訴因変更の手続を為し、もつて被告人に充分な防禦の機会の与えられるべきである。」（東京高判昭二六・一一・二一特二五・五四）。

【62】「本件起訴状には、被告人渡辺に対する公訴事実として、被告人飯盛と共謀の上昭和二十四年十月二十七日東京都中央区ミルクホール工藤方において現金二十万円を横領した趣旨の事実を挙げ、もつてこれが審判の請求をしているのに対し、原審が右同日被告人飯盛と共謀の上千代田銀行築地支店において金四十三万千五十円の小切手の支払を受け、もつて同額の金員を横領した旨の事実を認定していることは洵に所論のとおりである。よつて考察するのに、右公訴事実と右原判示事実とは、各その事実の態様に照らし相互に事実を同一にするものであることは認められないわけではないが、右原審の認定は被告人に対し右公訴事実よりは明らかに実質的に不利益であるから斯かる事実を認定するがためには、宜しく刑事訴訟法第三百十一条第二項に従い適式な訴因変更の手続を為し、もつて被告人の防禦に実質的な不利益の生ずることなきを期さなければならない。」（東京高判昭二七・六・七特三四・五五）。

【63】「本件においては起訴状は、前記二十四万七千三百円相当の木材のうち右現金支払の約定分を除いた残余十四万七千三百円相当の木材を被害額とみてこれを訴因のうちに掲げているのに対し、原判決は右金額を被害額と認定している関係にあることが明瞭であるわけである。本件においては……その金額につき詐欺罪の成立を肯定することもその証拠関係からみて決して不当ではないのであるが、……被害額について訴因において金十四万七千三百円相当の木材としているのを訴因変更手続を経由しないで凡そその二倍に近い金二十四万七千三百円相当の木材と突如判決において認定することは、結局被告人の不利益に変更することであつて訴因制度を無視することとなり、その訴訟手続には法令違背の違法がありその違法は判決に影響を及ぼすこと明らかなものといわなければならない。」（東京高判昭三〇・三・九高裁特報二・七・一九五）。

以上を通覧すると、数量金額等の拡張につき訴因変更の要求されるのは、同一の客体に対する認定上の相違というよりも、客体の範囲または性質の異なる場合であるように思われる。そして、その変更は法律的構成の相違に由来する場合が多いようである。なお賍物故買の目的物の品目金額の甚だしい変更につき訴因変更を必要とした名古屋高裁判決(昭二六・二・二八特二七・三九)がある。

また、特殊な例であるが統制販売価格違反の事件につき次の判例がある。

【64】「起訴状に検査合格品であるボッコ靴及び長靴と記載されているものを判決において無検査品であるボッコ靴及び長靴と認定することは訴因の統制超過額を被告人の全く予期しない不利益な額に変更することになるのであるから被告人の防禦を確保するため、審理の途中において検察官をして訴因変更の手続をとらしめなければならない。」(札幌高判昭二七・一一・二八刑集五・一一・四〇)。

(五)　行為の相手方　構成要件はしばしば行為の相手方となる犯人以外の人を予定している。これには脅迫の相手方のような行為の客体も、贈賄の相手方のような必要的共犯もあるが、訴因論においては一括して考えてよいであろう。相手方も目的物と同様に全然別個であることは少ないが、時には行為または目的物の同一にもとづいて公訴事実の同一性が認められる場合で、相手方の異なることがある。この場合にはおおむね訴因変更が必要とされている。ただし【87】の最高裁判例のように不要とされる場合もある。

【65】「本件起訴状記載の公訴事実第一の㈢㈣㈥㈦は、いずれも被告人山崎が被告人八代栄方で同人に塩酸ヂアセチルモルヒネ末約五瓦づつを譲渡したというのであり、原判決認定の第一の㈢㈣㈥㈦はいずれも被告人山崎が被告人八代栄方で同人の夫藤治に対して右モルヒネ約五瓦づつを譲渡したというのであること、所論の

とおりである。原審がかくのごとく認定したのはその審理の結果、譲渡行為の相手方は八代栄ではなくて藤治であるとの心証を得たためであろうが、原審が審理の経過においてかくのごとき心証を得たとすれば、すべからく検察官に対し刑事訴訟法第三百十二条第二項に基き訴因の変更を命ずべきであつた。けだし、譲渡行為そのものが犯罪の構成要件たる本件においては、一定の日時場所において特定のものを譲渡してもその相手方が異るにつれて同法第二百五十六条にいわゆる訴因が異ると解すべきである。」（大阪高判昭二五・四・二二特九・四三）。

右は認定上の差異にもとづくものであるが、次の事例は法律的構成の相違にもとづくもののように思われる。

【66】「被告人Nに対する本件公文書偽造同行使の事実は、追起訴状の記載によれば「被告人Nは相被告人M、I、Sと共謀の上東京地方検察庁の庁印を押捺した検察庁用紙を入手し昭和二十四年十月下旬東京都千代田区霞ケ関一丁目法務府内全法務労働組合厚生部売店等に於て行使の目的を以て擅に右用紙に同検察庁が近江織物株式会社に対し抄織一万三千三百十反を代金三千九百九十三万円にて註文する旨記載し以て同検察庁名義の註文書一通を偽造し之を真正に成立したものの様に装い同月下旬東京都港区芝白金台町三丁目十番地旅館港屋に於て第一繊維株式会社社長Xに交付して行使したものである」というのであり、被告人Nは原審公判冒頭に於て右公訴事実を認め、そのことについては被告人Mも承知していたと陳述したが其の後の公判に至り地方検察庁名義の註文書は正当のものと考えていたといい右公訴事実を全面的に否認する態度を示したのである。而して原審は右起訴状記載の訴因に対し、何等訴因変更等の手続を経ることなく「被告人NはMを除く他二名（I、S）共謀して判示文書偽造を遂げた上（之を訴因に記載されたXに対し行使したものではなく、却つて）偽造の情を知らない相被告人Mに交付して行使したもの」と認定したのであつて、右訴因と原判決の認定との間には、被告人が判示註文書の偽造を遂げた上之を行使したという公訴事実についての同一性は保持されているると見得るであろうが、何等の訴因変更の手続を経ないで原審の如き認定をすることは文書偽造の点は別とし

て偽造文書行使の点について、被告人をして防禦権の行使を全うせしめなかつたとの非難を免れないであろう。（中略）訴訟の具体的経過に鑑みても被告人がMに対し偽造文書を行使したという事実の如きは特に審理の対象となつたものとは認め難いのであるから、原審の前記認定は唐突の感あるを免れず、原審は結局此の点に於て訴因変更に関し訴訟手続上の違法を冒したものといわなければならない。」（東京高判昭二八・二・二三刑集六・一・一四八）。

なお【19】も同種の事例である。

（六）被害法益　横領罪において、委託者または委託の根拠を異にする場合に訴因変更が必要とされることがある。

【67】「起訴状の公訴事実と原判決の認定事実とを対比すると、前者は買主を曾根として三万一千円は被告人が売主奥井のために占有したというのであるが、後者は買主を湊町農業協同組合とし金三万一千円は被告人が同組合のために占有したというのであつて、両者の間にくいちがいがある。ところで横領罪において何人のために占有しているか、処分が擅まの越権行為となるかどうか、などの点は具体的事件において犯人と被害者との相関関係が種々異ることが予想されるのであつて、これらの点は横領罪で重要な意義をもつのである。だからある物を費消した場合右の点が異るにつれて訴因が異るものといわざるを得ない。」（大阪高判昭二四・一〇・一二特一・二七六）。

【68】「横領罪は保管の原因である委託の根拠を異にする毎に各別個の犯罪を構成するものであるから、裁判所において起訴状の記載と同一の日時、場所、内容、金額の費消の事実を認定するとするも右費消金員の保管関係が起訴状記載の委託関係に併せ他の委託関係を含むものである場合においては、右認定のため少くとも訴因変更の手続を要するものと解しなければならない。」（仙台高判昭二五・六・二〇特一一・一六四）。

（七）包括一罪の一部を追加する場合　常習犯、営業犯などの包括一罪の一部の行為で訴因に洩れたものを附加認定するためには訴因変更（判例は訴因追加といつている。）を必要とする。なおこのような事実の附加は、一罪の一部であるから別個の起訴によつてすべきではない。誤つて起訴すると二重起訴となる。

【69】「無免許歯科医業の如き職業犯にありては一旦公訴が提起せられるとその判決あるまでの同種違反行為は包括して一罪を構成するものであるから検察官において訴因に洩れた行為を強いて審理の対象と為さんと欲するならば訴因追加の手続を採るべく、更めて公訴を提起することは許されないものと言わなければならない。（中略）故に後になされた公訴は、刑訴法第三三八条第三号により判決をもつて棄却しなければならない筋合である。」（高松高判昭二七・四・一六刑集五・八・一一八三。同旨、東京高判昭三〇・一〇・二五高裁特報二・二一・一一〇九）。

賄賂の供与罪の訴因に対しその申込罪を認定する場合も同様である。

【70】「訴因として起訴状に明示されていない事実は裁判所の審判の対象とならないのである。このことは包括一罪の場合も同様であつて、具体的に明示されていない個々の犯罪を構成すべき事実に対しては裁判所の審判の対象とはならないと解すべきである。しかるに被告人工藤および白戸に対する起訴状をみると同被告人等の昭和二五年七月中の二回にわたる賄賂申込の事実については少しも触れていないのであるから、これらの事実は訴因の明示がないため、裁判所において審理判決することはできない。」（仙台高秋田支判昭二九・七・六高裁特報一・一・七）。

なおかような訴因変更を行わなかつたことを理由として破棄した事例として名古屋高裁金沢支部判決（昭二九・九・一四高裁特報一・五・二〇九）がある。

二　構成要件が異なる場合

すでに述べたように、判例は構成要件が異なつても必らずしも訴因変更を必要としていない。しかし、構成要件が異なることは被告人の防禦に影響を及ぼすものであり、しかも構成要件が違えばこれに該当する事実も自から異なることになるので、訴因変更を必要と解すべきである。判例も多くの場合はこれを必要と認めている。

(一)　基本的構成要件の変更　まず刑の加重される場合には訴因変更を要すること当然である。

【71】（訴因）　被告人は税務署勤務の大蔵事務官であるが、皮革商甲から所得税の調査決定を寛大にしてもらいたい趣旨のもとに供与されることを知りながら三回にわたり婦人靴一足、革ジャンパー一枚、ボストン牛皮鞄各一個を受けた。

（第一審認定事実）　被告人は甲に対し三回にわたり手提鞄一個、ボストンバック一個、革ジャンパー一着の提供を要求し、よつて同人が将来税額の査定につき寛大な取扱に与りたい旨を暗黙の裡に請託する意思で供与するものたる情を諒知しながら同人から右各商品および婦人靴一足の供与を受けた。

（判旨）　「所論に基き職権をもつて調べてみるに、所論の被告人の所為について、本件起訴状記載の訴因はいわゆる単純収賄（刑法一九七条一項前段）であるにかかわらず、第一審判決は、訴因変更の手続を履まず、いわゆる請託収賄（同条同項後段）と認定をしたことは所論の指摘するとおりである。このような場合訴因変更の手続を定めた刑訴法の趣旨からいつて、第一審がその手続をとらないで判決したことは違法たるを免れないけれども、被告人の判示㈠の所為は、起訴状も判示認定も相一致する犯情きわめて悪質な現金五万円の請託収賄であるにかかわらず、訴因に関係ある判示㈡の各所為は各相被告人からその商品の供与を受けた事実であつて、両者を総合考量して第一審の科刑を検討してみると、結局原判決を破棄しなければ著しく正義に反するものとは認められない。」（最判昭三〇・七・五刑集九・九・一七七七）。

【72】「原審の右認定事実は住宅放火であり、これに対応する公訴事実は非住宅建造物放火並に住宅延焼というのであるから、両者は基本的な事実関係を同じうするにしても、犯罪の構成要件を異にするばかりでなく、その被害法益は著しく相異し、罰条においても法定刑に格段の差異がある以上、原審において原判示のような

認定をするためには、検察官をして訴因及び罰条の変更をなさしめたうえ、被告人に対し予め防禦の機会を与うべきであつたといわなければならない。」（東京高判昭三〇・一二・六刑集八・九・一二六二）。

刑が同等の場合または軽くなる場合であつても、認定事実が訴因に包含される関係にある場合を除いては、訴因変更が必要である。ここに掲げる判例はいずれも構成要件の異なる点を指摘している。

【73】「犯罪の構成要件を異にするような場合には被告人としては実質的に防禦の方法も異なる場合が多いのであるからかような場合にはたとえ法定刑の重い罪から軽い罪に認定する場合であつても訴因の変更をしなければ裁判所は公訴事実記載の事実と異なる事実の認定はできないものと解すべきである。原判決が窃盗の訴因を変更することなくして横領の事実として認定したことは前説示のとおりであつて右は被告人に防禦権を行使させるにつき十分の機会を与えることなくして行われた手続であり訴訟手続に法令の違反がありその違反は判決に影響を及ぼすことが明らかである。」（福岡高宮崎支判昭二九・六・一八特二六・一三〇）。

【74】「原審が被告人につき恐喝罪は成立しないと認定しながら暴行の犯罪事実を認定しこれに対し刑法第二百八条を適用したことは、結局検察官に訴因の変更、追加をさせないで突如裁判所が訴因を附加認定してその罪責を問うたものであり判決に影響を及ぼすべきこと明らかな訴訟手続に法令の違反があるものというべく原判決はこの点において破棄を免れない。」（東京高判昭三一・五・一高裁特報三・一〇・五〇四）。

【75】「重過失傷害と業務上過失傷害とは、その犯罪構成要件を異にし、かつ前者に対する被告人の防禦は当然に後者に対するそれを包含するものとは解されないから訴因の変更又は追加の手続なくして重過失傷害の公訴事実を業務上過失傷害と変更して認定することは許されないものである。果して然らば原判決は審判の請求を受けない事件について判決をした違法がある。」（仙台高判昭三〇・五・二四高裁特報二・一〇・四九〇）（【128】参照）。

【76】「起訴状によれば、被告人は営業の目的を以て使用するため米麦の買受を禁止した規定に違反したとなすに対し、原判決は、被告人は米麦の生産者からその生産した米麦の買受を禁止した規定に違反したとなす

のである。しかるに原審各公判調書の記載によれば、原審裁判所が審理の過程において訴因並びに罰条の変更を命じた形跡なく、又検察官から訴因並びに罰条の変更を請求した形跡も窺われぬのである。果してしからば原審は審判の請求を受けない事実について判決したものと謂うべく……」（東京高判昭二六・三・五特二一・三五）。

なお、すでに掲げた【3】【9】【13】【21】【22】等も同種の事例である。また、ゴム長靴の代金請求権を不法に取得したとする二項詐欺の訴因に対し、これと態様を異にするゴム長靴を騙取したとの一項詐欺の事実を認定するには訴因変更を要するとする東京高裁判決（昭二七・六・一七特三四・六八）がある。

（二）　共犯関係　共同正犯を単独犯と認定する場合には訴因変更を要する。

【77】　「起訴状記載の訴因第十七第二十二の要旨が孰れも相被告人岡本と共謀して被告人岡本の業務上保管している公金を横領したとあるを判決においては被告人吉村の犯罪事実として孰れも被告人吉村が自己の業務上保管中の公金を単独で横領した旨示してある。而して記録に徴しても訴因の変更のあつたことは認められない。然らば犯人の身分に因り構成すべき業務上横領行為にその身分なき被告人吉村が加工したとして起訴されている右各訴因をその適法な変更なくして被告人吉村自身は右業務上保管の身分あり同被告人単独にて横領したものと認定した原判決は審判の請求を受けない事件について判決した違法がある。」（福岡高判昭二四・一二・六特三・五三）。

【78】　「訴因においては、被告人勝馬の頭部殴打の所為と同政雄の頸部強圧の所為と相合して圭子殺害の結果を招来したものとし、刑法第六〇条適用の結果、被告人勝馬は政雄の行為の結果についても刑事責任を負うべきものとする趣旨と解されるのであるが、原判決第一においては、同女殺害をもつて被告人勝馬の単独犯行と認定し、同女の頭部殴打のほか頸部強圧もまた同被告人の所為と判示しているのである。したがつて、前記のとおり頸部強圧の点については、同被告人に関するかぎり明示された訴因の範囲外の事実を認定したことになるのであるから、訴因追加等の手続をとることなくして頸部強圧の事実も認定した原審のこの措置は、刑事訴

訟法第三七八条第三号後段にあたる違法があるものといわねばならない。」(大阪高判昭二九・一二・四刑集七・一一・一六七六)。

従犯を正犯と認定するには訴因変更を要する。

【79】「本件起訴状によれば、公訴事実は要するに朝鮮人某が能勢から精米四斗を買受けるにあたり被告人がこれを幇助したというのであり、……原判決は被告人が能勢から精米四斗を買受けた旨の買受行為正犯として認定していること明白である。しかし、裁判所は裁判するにあたつて起訴にかかる訴因に拘束されるのであるから、右のごとく従犯の起訴に対し訴因をそのままとしながら正犯の認定をするがごときは、許されないところに属し違法なること勿論である。」(大阪高判昭二六・四・四刑集四・三・二五三)。

正犯を共犯と認定する場合については、訴因変更を要しないとする判例【139】もあるが、次のように法律構成の著しく異なる場合には当然訴因変更を要する(【115】参照)。

【80】(事実)「公訴事実においては、塩酸モルヒネ粉末約二瓦を被告人寺島から同菅原へ、菅原から磯貝へと二段階の譲渡があつたものとしているのに対し、原判決は、右モルヒネは被告人寺島から同菅原へ、菅原から磯貝へと二段階の手交はなされたが、それは被告人寺島と同菅原とが共謀して之を磯貝に譲渡(授与)したもの、即ち譲渡としては一段階の行為があつたに過ぎないと認められる。」

(判旨)「原審は公訴事実第二と同第四の(3)とを一括し、之を法律上一個の犯罪行為であると認定したものであるから、その中に公訴事実第二についての判断を包含していないということができないが、右判示事実と公訴事実との間には犯罪構成要件たる具体的事実関係において著しく異るものがあるのであつて、訴因としての同一性は之を認めることを得ないものといわざるを得ない。」(仙台高判昭二五・七・八特一二・一四七)。

㈢　単独傷害の訴因に対し同時犯の認定をする場合　単独の傷害罪を訴因とする事件について審理の結果、その傷害が数名の暴行の結果であることが判明したが何人の暴行に起因するかが証明されないとき、刑法二〇七条を適用して共犯の例によつて処断するには、訴因の変更を要するという判例がある。

【81】（事実）　起訴状には、被告人が単独で柳に対し暴行を加え、よつて打撲傷を負わせた旨の訴因が記載され、罰条として刑法二〇四条が掲げられているだけであるが、原判決は、右傷害は被告人および他の二名の者の暴行の結果ではあるが何人の暴行に基因するかを知ることができないとし、刑法二〇四条、二〇七条を適用して処断している。

（判旨）「本件で被告人としては起訴状記載の打撲傷が自己の所為に基因しないという点について極力防禦方法を講ずれば足るのであり、もし裁判所においてそれ以外の事実を認定して被告人に刑事責任を負わせようとする場合には、起訴状自体において特にかかる事実関係を窺知できる記載のあるような場合（最高裁判所昭和二五年一一月三〇日第一小法廷言渡判決参照）は格別、起訴状にこのような記載がない本件にあつては、訴因変更の手続をとり、これに対する防禦の機会を与えた後、これに基き裁判をすべきである。」（大阪高判昭二八・二・一六特二八・六）。

（註）　引用の判例は最決昭二五・一一・三〇刑集四・一一・二四五三で「刑法二〇七条のごとき規定は、刑訴二五六条四項にいわゆる罰条には含まれないものと解するを相当とするから、原判決には、起訴のない事実について判決を為し又は刑訴二五六条、三一二条等に反した訴訟手続上の違法も認められない。」というのであるが、訴因にも被告人ほか一名が引続き暴行をして傷害を負わせた事実が記載してあり、原判決は同じ事実を認定して刑法二〇七条の適用を明示したにすぎない事案である。

（四）　科刑上一罪の一部の追加　　窃盗罪の訴因に対しその手段たる住居侵入罪の事実を附加して認定するように、牽連犯、想像的競合犯など科刑上一罪の一部の罪を追加する場合に訴因の追加を要することはもちろんである。判例としてはすでに挙げた【8】のほか、同趣旨により原判決を破棄した東京高裁判決(昭二四・一二・二二 刑集二・三・三一八)がある。

四　訴因変更を要しない場合

一　判例の傾向

判例は概して訴因変更を要する場合を狭く解しようとする傾向がある。その理由として考えられるのは、第一に、公訴事実の範囲内では事実の認定および法律の適用は裁判所の自由であるという旧法時代の観念が根強く支配していることである。裁判所は訴因の事実が証明されたかどうかを判断するよりも、自ら最も正確な事実を認定し、自らの法律的判断を与えようと努める。このことは或る程度刑事裁判の本質に根ざしている。実体的真実に近づこうとする裁判所の作用は、事実認定に対する外部的拘束を好まない。自由心証主義は本来公判に現われた証拠に対する評価の自由を意味するのであり、その限りにおいて訴因制度と矛盾するものではないが、実際にはその意味をこえて証拠調の範囲の自由および証明さるべき事実の自由を要求する傾向がある。第二に、検察官が公判の状況にかんがみ訴因変更を請求することは比較的稀であり、その必要に気がつくのは多くの場合裁判所である。したがつて、訴因変更は本来検察官の権限とされていながら、実際には裁判所の勧告または命令を必要とすることが多い。ところが裁判所は心証を露出することを嫌つて、できる限りこれを避け、訴因の拘束力を弱く解しようとする(【16】参照)。かようにして訴因変更を要しないという判例が多数現われるに至つた。このような結果は事実記載説の提唱者の意図しないところであつたであろう。しかし、同時にそれは事実の点に余り強い拘束力を認めることが現実に即しないことを示すものでもある。以下この種の判例を類型に分けて検討する。

二　構成要件説にもとづく判例

構成要件説に従えば、構成要件が同一である限り、犯罪の日時・場所・方法、被害物件の品目数量等が異なつても訴因変更を要しない。この見解にもとづく高裁判例も少なくない。すでに挙げた【23】から【27】まではその例であるが、その他盗品買受の場所の変更につき

【82】「犯罪の場所の如きはその構成要件とはならないので……訴因の変更を来たすものではない。」（名古屋高判昭二四・一二・五特四・九）。

覚せい剤譲受けの場所の変更につき

【83】「場所の如きは本件犯罪の構成要件ではないから裁判所は起訴状に拘束されることなく証拠に基ずきこれを認定すれば足りる。」（福岡高判昭二七・一二・一五特一九・一三〇）。

窃盗被害一一〇余点を一二四点と変更するにつき

【84】「窃盗被害物件の数量等は一罪の範囲内である限り起訴状の記載に拘束せられることなく……」（東京高判昭二五・二・二一特八・三六）。

として訴因変更を不要としたのは、構成要件説的な見解と思われる。また同一罰条の範囲内で未必の故意を確定的故意に、故買罪を牙保罪と認定することを認めた次の判例も同一傾向のものと見ることができよう。

【85】「本件起訴状に「死ぬかも知れないと認識しながら」とあるを、原判決において「殺害するにしかずと決意し」認定したことは所論のとおりであるが、右はいずれも殺人の故意であることに変りはないのであるから、原審が右の如く認定するにつき訴因の変更を要するものではなく……。」(東京高判昭三二・三・四刑集一〇・二・二二)。

【86】「原審が、訴因の変更なくして賍物故買罪として起訴せられたものを賍物牙保罪と認定したことは、所論の通りである。(中略)故買罪と牙保罪とは、犯罪事実の微細な点においては、その構成要件が異つているが、賍物を流通においた点については異同がない。訴因とは、犯罪の構成要件に該当する事実と解すべきものであるが、公訴事実に或る訴因が包含せられていると見らるべき場合や犯罪の基本的構成要件に異同がなく、枝葉の点に、差異があるのみで、同一法条の犯罪であることには変りがないときは、訴因の同一性を失わず、従つて、訴因の変更なくして、起訴状の公訴事実と異る事実を認定することができるものと解すべきである。」(名古屋高判昭二六・四・二一特二七・七九)。

三　一般的に防禦の利益を害しない場合

訴因と認定事実とを比べてみて、事実の相違が僅かである場合、犯情・量刑にほとんど影響がない場合、防禦方法に変更をきたすと認められない場合などには、訴因変更を要しないとされるようである。これを右の表題のもとに類型づけてみた。この種の判例は、構成要件が同じの場合には、結論において構成要件説と同じであるから、両者の判別がつかないものもある。またその理由も様々で、あるいは被告人の防禦に実質的な不利益を生ずるおそれがないとし、あるいは訴因が同一であるとし、あるいは事実が同一であるとし、甚だしいのは公訴事実が同一であることを理由とする。しかし、これらのうちには厳格な意味では訴因の同一性の認められないものが多い。次の最高裁判所の判例はこの種の典型的なものである。

【87】（上告趣意）第一審判決第一、第二事実は、被告人が池田と共謀し鉄七砲金三の割合の金属棒を全部が砲金の如く見せかけ鈴木栄子を欺罔し同人に売却してその代金を詐取したというのであるが、起訴状には被欺罔者及び被害者を鈴木八十吉としてある。しかも公判調書中訴因変更の見るべきものがない。被害者又は相手方の変更が訴因の変更となることは論なきところである（【67】【65】の判例を引用）。原判決は起訴なき事実を審理判決した違法がある。

（判旨）「起訴状記載第一、第二の各公訴事実に、被欺罔者及び被害者が鈴木八十吉と記載されていないこと〔「記載されていること」の誤りか。〕は、所論のとおりであるが、第一審判決挙示の証人鈴木栄子の証言によると、同人は右鈴木八十吉の娘であつて、父は古鉄商をしていたが、現在隠居して同証人が主として仕事をしており、同人が被告人らから二回にわたり本件偽造の砲金棒合計二七本を代金合計二十七万三千円で買受けた事実が認められる。そして右第一、第二の各公訴事実と第一審判決が認定した判示第一、第二の各事実とを対比すると、犯罪の日時、場所、相手方を欺罔した方法、相手方に交付した物品の品質、数量及び相手方から騙取した現金の金額は全く同一であり、ただ、被欺罔者及び被害者が前者は父、後者は娘である点において差異があるにすぎないものであつて、結局の被害はただ一個しかなく、しかも、これに関与する被告人らの行為もただ一つしかあり得ないという関係にあることが認められるから、訴因の変更手続を経ないで右第一審判決のような認定をしたからといつて、被告人の防禦権の行使に不利益を及ぼしたということはできない。論旨記載の大高昭和二四年一〇月一二日第一〇刑事部判決は、寄託者を異にする横領罪につき、大高昭和二五年四月二二日第一刑事部判決は、麻薬の譲渡の場合買受人が異つてきたときにつき、いずれも訴因の変更を必要としたものであつて本件に適切でない。」（最判昭三〇・一〇・四刑集九・一一・二一三六）。

この場合、先に述べた意味では訴因が同一性であるとはいい難い。犯罪の相手方が明らかに異なるからである。だから【67】【65】の判例とくに後者を不適切とすることには疑がある。ただ、本件では同居の父と娘という関係上、実質的被害が同一である点に特色があり、そのため訴因変更の必要が否定されたものと見られる（ただし【65】の場合も夫婦である）。

この種の判例は数多いが、主なものを列挙してみよう。

（一）日時・場所　まず日時につき

【88】「所論二時頃には本件小刀は当時逮捕された吉村なる者が携帯していたもので、被告人はこれを所持していたのではないが、……本件小刀は昭和二十四年十二月十一日から同月十四日午後一時頃迄被告人が携帯しておつたことが窺われるが、起訴状に二時頃とあるを右一時頃と認定しても訴因としての公訴事実の同一性を害するものでもないし、被告人の防禦に欠けるところある不意打でもないと解するのが相当である。」（東京高判昭二五・八・五特一二・四八）。

として訴因の時刻を厳格に解した一審の無罪判決を破棄した例があり、日時および横領金額につき

【89】「原判決は……訴因中昭和二三年四月中旬二万円を横領したとあるのを、同年八月頃四万円を横領したと認定しただけであつて、（中略）右程度の差異は必ずしも訴因変更の手続を経ずに認定して差支えない。」（札幌高函館支判昭二五・五・八特一〇・一二九）。

とかなり大幅な変更を認めた例がある。また、贓物の寄蔵場所につき

【90】「起訴状の記載と原判決の認定との異るところは、起訴状では「被告人が自宅に保管して寄蔵した」というに対し、原判決では「被告人が被告人と同字の小林宅に保管を託して寄蔵した」という点だけであつて寄蔵の日時、贓物の品名、数量は両者全く同一である。しかも同一贓物を同時に二ケ所に寄蔵するということはあり得ないのであるから、右は訴因と同一の事実と認むべきは当然である。」（札幌高判昭二七・一・二四刑集五・一・二四）。

銀行で小切手を横領したとの訴因に対し、銀行に行く途中電車を待つうちにこれを横領したと認定することにつき

【91】「犯罪事実自体に差異がなく然もそれを別個の事実と認めしむるに足らないような犯罪の日時、場所の差異の如きは未だ訴因の同一性を喪失せしむるものにあらずと認むべく又当事者としてもその攻撃防禦の方法を変更する必要はないのである。」(名古屋高判昭二五・一二・八特六・九二)。

数カ月にわたる所持を認定することにつき

とし て訴因変更を要しないとされている。更に、或る時期における拳銃所持の訴因に対しその前後

【92】「物の所持はその物に対する実力的支配関係発生のときからその支配関係喪失のときまで存続すべきものであつて、法律上これを一個の所持と看做すべきものであるから、これを表示するに当つて所持の開始のときからその喪失のときまでの経過を叙述してこれを表示しても、またその所持の状態継続中の或る一定の時と場所とを限定してこれを表示しても、その所持そのものの同一性はそこなわれないものというべきである。」(東京高判昭二七・二・二特二九・二二)。

(二)　行為　詐欺の手段たる虚言の内容に若干の相違のある場合につき

として訴因変更を要しないとしたものがあるが、これは公訴事実と訴因とを混同した傾きがある。

【93】「被告人の防禦に実質的な不利益を及ぼさないときは訴因変更の手続をしないで起訴状に記載せられたのと異なる手段方法を認定しても違法ではない。」(札幌高判昭二五・一一・八特一四・二一三)。

公務執行妨害罪の態様の僅かな変更につき

【94】「右訴因にして明示された以上、裁判所において審理の結果微細な点において起訴状の記載と相違していても右特定性を害しないかぎり何ら原判決の違法を招来しない。」(大阪高判昭二五・六・三特一四・一四)。

横領罪の態様の変更についてはさきに挙げた【53】【54】がある。

収賄の趣旨に若干の変更がある場合にも、最高裁判所は訴因変更をすべきでないとする。

【95】（訴因）被告人は接収地に対する賃借料算定等の職務に従事していた者であるが、入間川基地住宅用接収地地主組合副会長から同基地接収地借上料が高額に値上げされたことの謝礼の趣旨で供与されるものである情を知りながら金五万円の供与を受けた。

（一審認定事実）被告人は前記副会長から接収地借上料改定問題の情報提供等をしたことの謝礼の趣旨で供与されるものであることを知りながら金五万円の供与を受けた。

（控訴審判旨）「両者の摘示する犯罪事実の差異は本件贈収賄罪に関する公訴事実の同一性に何等消長を及ぼすものでなく又被告人等の防禦権の行使に実質的不利益をもたらすものでもないから訴因変更の手続を構ずることなく起訴状記載の各公訴事実について審判することができるものと解するを相当とする。」（東京高判昭三〇・六・二七）。

（上告審判旨）「本件起訴状記載の公訴事実と第一審判決の判示認定事実との所論差異のごときは、公訴事実の同一性は勿論訴因の同一性をも害するものとはいえないから、公訴事実に争のある通常の審理手続をするを以て足り、訴因変更のごとき特別手続をなすべきものではない。」（【16】と同一事件）（最判昭三二・一・二四刑集一一・一・二五二）。

また、高等裁判所判例には、収賄の趣旨が異なれば訴因の異なることを一応認めながら、訴因変更をしないでも原判決に影響を及ぼさないとするものがある。

【96】（訴因）衆議院議員たる被告人は衆議院議員甲から、臨時石炭鉱業管理法案の国会上程を阻止し、上程後はその通過に反対されたいとの請託の趣旨で供与されることを諒とし、二〇万円の小切手一通を収受した。

（第一審認定事実）被告人は甲から、右法案の上程がやむを得ないならば、できるだけその内容を業者の不利益にならないよう格別の尽力に預りたい趣旨に併せて自己の政治的栄達のための支援を得ようとする趣旨を含めて供与されることを知りながら二〇万円の小切手の交付を受けた。

（判旨）「法案の国会上程阻止、その上程後は国会通過に反対するということと法案の国会上程が不可避ならばその内容を業者の不利益にならないようにするということとでは職務執行方法の形態はこれを異にするものであるからこれが表示されている以上は勿論訴因としては別個のことに属するものと謂わなければならない。しからば原判決が訴因変更の手続を執らないで、本件公訴事実に対し原判示の如く認定したのは訴訟手続法令に違背する場合に帰するものといわなければならない。けれども（中略）この訴因変更の手続をとらなかつたからというて被告人の防禦に実質的な不利益を生ぜしめるものとは認められないのである。よつてこの法令違背は格別原判決に影響を及ぼすものとは認められないのである。」（東京高判昭三一・二・七高裁特報三・六・二〇七）。

脅迫による強盗の訴因に対し脅迫および暴行による強盗を認定することにつき

【97】「脅迫による強盗の起訴に対し、犯行の方法として暴行の事実を附加して認定するには、訴因の追加又は変更を必要とするものではないと解するのが相当である。」（東京高判昭三一・三・五高裁特報三・五・一九六）。

正犯を間接正犯に改める場合においても訴因に変更がないとするものがある。

【98】「その異るところは被告人自らが原判示配給所において不正受配したか他人をして受配せしめたかの点のみであり、（中略）かくの如く社会的現象と観察してもまた法律的構成の上からみても同一視すべき場合には訴因に変更はないものと解するのが相当であり、本件公訴事実を原判示の如く補正して認定したからとて被告人の防禦権に実質的な不利益をもたらすものとは認められない。」（東京高判昭二七・三・一九特二九・八九）。

（三）　行為の客体・相手方等　　財産罪の被害物件の品目、数量につき

【99】（事実）　起訴状によると被告人等の窃取した物はウィスキー三〇本、合成酒二本であるが、原判決はM印ウィスキー三〇本、N印ウィスキー一本、合成酒二本、十円紙幣約八〇枚と認定している。

（判旨）「窃盗罪の被害物件の品目、数量の一部と雖訴因として明示されたのと異なる認定をすることが被告人の防禦に実質的な不利益を来す場合に於ては訴因の変更をなすべきで〔ある。しかし原審の審理の経過〕と本件において前に述べた程度の被害物件の品目数量の増加は刑の量定上にもさして影響のない事柄であることから見て被告人の防禦権の行使に実質的な不利益を来したものとは言えないので手続上も違法でない。」（札幌高判昭二五・一〇・三〇特一四・二〇九）。

【100】（事実）原審は訴因を変更しないで強盗の目的物を二点増加して認定した。

（判旨）「かように認定するについて訴因変更の手続をとらないでも被告人の防禦権を侵害することがない。」（東京高判昭二四・一一・一五刑集二・三・二六八）。

【101】（控訴趣意）衣類の点数につき起訴状には約百十点と記載されているのに原判決が訴因変更の手続をとらないでその点数を二百数十点と認定したことは、審判の請求を受けない事件につき審判した違法がある。

（判旨）「贓物罪におけるこの程度の数量の異同は当事者の攻撃防禦に実質的な不利益を生ずるおそれがないからかくの如き場合には訴因を変更する必要はない。」（東京高判昭二六・九・四特二四・二〇）。

傷害の部位、程度につき

【102】「起訴状には左頬下部一面に皮下出血の症状を呈する傷害を加えたと記載してあるに対し、原判決においては前記のように歯齦炎症を生ぜしめたものと認定し傷害の態様においてその間多少の相違あることは所論の通りである。しかしながらともに被告人の手拳による顔面殴打による傷害であることに間違なくまた傷害の部位、種類、程度においてもさしたる差異はない。かかる場合においてはあえて訴因変更の手続をなさずとも被告人の防禦に何等の不利益を来たすおそれがない。」（福岡高判昭二五・九・一三特一三・一五六）。

【103】「本件起訴状によれば被告人が使用した凶器は小刀、被害者の受傷の程度は治療日数二十日となつて

いるのに検察官は訴因中右の個所の訂正をしないまま証拠として匕首及被害者は百余日の治療を要したとの証言を含む浦徳義の供述調書を提出し原審もまた訴因変更等の手続を経ないまま右証拠等により被告人が右匕首を被害者浦川一郎の下腹部に突刺しその左腹部に治療百余日を要する刺傷を与えた旨認定したこと所論の通りであるが、かかる程度の変動は同一訴因の態容の変動に止り訴因自体の変更とは認め難い。」(福岡高判昭二六・一二・八特一九・四八)。

建造物侵入の場所につき

【104】「本件起訴の訴因は所論試作工場を含む意味に於て賠償指定工場石川島芝浦タービン株式会社松本工場構内へ許可なく侵入した点にあることは右起訴状の記載によつて極めて明瞭である。而して判示試作工場は右工場構内に存する一建造物である。従つて原裁判所が該試作工場侵入の事実を認定したのは起訴の範囲を出たものではなく訴因の変更ありとは認め難く原裁判所が訴因変更に関する手続をとらなかつたことは寧ろ正当である。」(東京高判昭二四・一一・三〇刑集二・三・二七二)。

密造酒の種類につき

【105】「免許を受けないで酒類を製造したとの酒税法六〇条違反の被告事件において起訴された目的物が起訴状においては濁酒と表示されていたものを審理の結果雑酒と認定しても、それを以て直ちに訴因の変更とは認められない。」(最決昭二七・一〇・一六刑集六・九・一一一四)。

【106】「原審が合成清酒製造の起訴事実を清酒製造の事実に訴因の変更を許可しながら訴因変更の手続を採らないで再び之を合成清酒を製造したものと認定しても刑事訴訟法第三百十二条に違反したものとは解せられずこれを以て訴訟手続が法令に違反したものと云うことはできない。」(東京高判昭二九・六・七刑集七・五・七七八)。

詐欺の相手方および被害者を二人から一人に変更した場合につき

【107】「公訴事実においては、川端及び西村に対して欺罔手段を用い、両名から各一万円宛を騙取したとい

うのであるのに対し、判示事実においては、川端一人に対し欺罔手段を用い、川端一人から金二万円を騙取したという点であつて、結局川端に対して欺罔手段を用い川端から金員を騙取した点は違はないのであつて、この程度の事実の相違は訴因の変更を要しないと見るべきである。」(札幌高判昭二五・五・二六特九・一七一)。

財産罪の被害者たる所有者につき

【108】「公訴事実においても原判決においても、被害日時、場所、被害品目の点は一致し、且つ被害品の所持を為していたものは、伊藤新蔵であることが一致して居るので、被害品である自転車の所有権者が異つていても、公訴事実と原判決認定の犯罪事実とが同一性を失うものと解することはできないばかりでなく、訴因においても、その同一性を失うものと解することはできない。」(名古屋高判昭二五・一二・二特一四・一〇一)。

【109】「被害者の氏名を変更して認定するについて訴因の変更を経なかつたとしても、これを以て判決に影響を及ぼすことが明らかな訴訟手続の法令違反にあたるものとも解せられない。」(東京高判昭三二・六・四刑集一〇・四・三九五)。

業務上横領罪における業務の内容につき

【110】(控訴趣意)「本件に於ては被告人が畦津の使用人でありその業務上集金保管して居つた金員を擅に費消したという事実が訴因である。之に対し被告人が畦津より商品の販売の委託を受けてその代金を保管中之を擅に費消したという事実は明に訴因に含まれぬ事実である。」

(判旨)「業務上横領罪に於ける身分取得の原因は、それが雇傭契約に基くと、委託契約に基くと、その原因の如何はこれを問わないのである。苟も他人の業務に従事している事実があれば同罪の構成要件に該当する事実としては、こと足りるのである。従つて業務に従事するに至つた原因は同罪の構成要件的要素又は特徴ではない。されば業務上横領罪に於ける身分取得の原因の変動はそれはとりも直さず、訴因の枠内における移動であり、訴因の同一性を害するものではない。」(福岡高判昭二六・一〇・一二刑集四・一〇・一二八〇)。

贈賄罪の相手方の職務内容につき

【111】「所論は、第一審判決が判示奥野の本件会社における職員としての職務が「経済関係罰則ノ整備ニ関スル法律」二条にいう職務に当ることについて判示するところは、公訴事実と一致しないのにかかわらず、訴因変更の手続を採らなかつたのは違法であり、かつ判例に違反すると主張する。第一審判決は奥野の職務を変圧器等古機器の払下と判示しているが、これに対応する起訴状には機器の修理契約その代金支払手続等の事務とあることは所論指摘のとおりであるが、判示事実も公訴事実もともに、被告人が判示の日時場所において前記法律二条の会社に当る関西配電株式会社京都支店資材課員奥野の職務に関し賄賂を供与したという基本たる事実は全く一致し、単に職務の個々の具体的部分に相異があるに過ぎないのであるから、公訴事実の同一性が害されるという主張は当らず、訴因変更の手続をとらなかつたからといつて、これがため被告人の防禦権行使に不当な影響を及ぼすものとは認められない。」（最判昭三〇・七・五刑集九・九・一八〇五）。

（四）構成要件の異なる場合　窃盗の共同正犯の訴因に対し教唆を認定することにつき

【112】「共同正犯も教唆もいわゆる共犯であるから、本件訴因に記載された窃盗の共同正犯と原判決認定の窃盗の教唆とは、それぞれ基本的事実関係を同じくし、両者の公訴事実はその同一性を有しているものとみるのが相当である。さすれば、原判決が訴因に含まれた事実の一部を右の程度において変更し認定するには、刑事訴訟法第三一二条の措置をとらないでも差し支ない。」（福岡高宮崎支判昭二六・一一・一四特一九・一六七）。

これは訴因の同一性と公訴事実の同一性とを完全に混同している。輸送の委託を輸送そのものの共同正犯と認定することにつき

【113】（事実）「本件公訴事実は被告人が原審相被告人杉崎、同松枝と共謀して原審相被告人である照栄丸船長秋岡に精米押麦大豆の輸送の委託をなしこれに基いて右秋岡が右精米等を輸送したと言うのであるが、原

審では訴因の変更を命ずることなく、右四名が共謀して右の通り精米、押麦・大豆を輸送したとの事実を認定している。」

（判旨）「訴因の変更を待たないで、右両者が共謀して右食糧を輸送したと認定してもこれに適用すべき罰条法定刑は輸送の委託をした事実の場合と異ならないのみならず、何等被告人の防禦権を制限することにならないから、かかる場合は訴因の変更がなくとも右共謀して食糧を輸送した事実を認定して、これによつて被告人を処罰し得るものと言わなければならない。」（高松高判昭二七・七・一〇特一七・五四）。

供与の訴因に対し交付を認定することにつき

【114】（事実）公職選挙法二二一条一項一号の供与罪の起訴に対し第一審は起訴のとおり供与罪として処断したが、控訴審は「原判決は交付罪の事実を認定しながら法律を誤解して供与罪と認めその該当法条を適用した擬律錯誤の違法あるのみに帰する。而して、金銭交付と金銭供与は、共に公職選挙法二二一条一項の罪で、その法定刑も同一のものであるから、この点の擬律錯誤が判決に影響を及ぼすこと明白であるとはいい得ない。」とし、他の理由で破棄自判するにあたり、同項五号の交付罪を認定した。

（判旨）「交付罪も供与罪も所謂買収犯の一態様であり、公訴事実の同一性を欠くものではなく、その法定刑も同一であるから、所論の如き供与罪の起訴に対し、原判決が訴因及び罰条の変更なくして交付罪の事実を認定したからといつてこれにより被告人の防禦権を不当に制限したものとは認められない。」（最判昭二九・五・二〇刑集八・五・七一一）。

次の判決になると、受供与の訴因に対しそのまま供与者と共謀して他人に供与した事実を認定してもよいという。これは訴因制度の目的を無視したものといわなければならない。（【80】と比較せよ。）。

【115】「右の事実関係から見れば、被告人伊藤は三田村から五千円の供与を受けたのではなく、同被告人は三田村と共謀して被告人百代に金五千円を原判示の趣旨で供与したものと認むべきである。又かく認定しても

起訴状の訴因を逸脱するものとは思われない。」（名古屋高判昭三〇・六・二八高裁特報二・一四・七二三）。

四　縮小された事実の認定

（一）　この原則とその適用　訴因として記載された事実よりも縮小された事実を認定するについては訴因変更を要しない（大は小を兼ねる）というのが確立された判例である。この原則は新法施行当初から各裁判所で採用されていたが、次の判決がその理論を明らかにしている。

【116】　「これ〔訴因変更の必要〕は二の場合を分つて考えなければならない。その一は裁判所の認定する事実が訴因たる事実とその種類を異にするか又はその態様限度において訴因たる事実よりも拡大されたものである場合であつて、この場合においては裁判所がかような認定をするには必ずや検察官がその訴因を追加又は変更して裁判所の認定すべき犯罪事実に一致せしめなければならない。例えば訴因が窃盗である起訴に対し贓物運搬を認定し（異種犯罪）また訴因が強盗である起訴に対し強盗傷人と認定し（単純犯と結合罪）訴因が殺人未遂である起訴に対し殺人と認定する（未遂罪と既遂罪）などはこれである。その二は裁判所の認定する事実が訴因たる事実とその罪種を異にせず、且つその態様限度において訴因たる事実よりも縮小されたものである場合であつて、この場合において裁判所がかような認定をするには必ずしも検察官によつてその訴因を変更して裁判所の認定すべき犯罪事実に一致せしめられることを必要としないものと解するのを相当とする。例えば前述結合罪の起訴に対し単純罪を認定し又は既遂罪の起訴に対し未遂罪を認定するなどはこれである。何となればかような訴因にもとずく起訴すなわち審判の請求の中にはおのずから裁判所の認定する犯罪事実に対する審判の請求を包含しているのであつて裁判所が訴因の変更を待たないでその審判をしても決して被告人の防禦に実質的な不利益を生ずる余地がないからである。本件起訴状に記載された訴因は強姦致傷、すなわち強姦傷害の結合罪を構成する事実であり、原判決の認定した事実はその単純罪たる強姦罪を構成する事実であるから検

察官が特に強姦致傷の訴因を強姦に変更することがなかつたにもかかわらず、原判決が強姦の事実を認定したことをもつて、刑事訴訟法第三百七十八条に該当する事由があり又は訴訟手続に法令の違反があるということはできないのである。」（札幌高判昭二四・一二・二三刑集二・三・二八二）。

この判例は次のように最高裁判所に採用され、この最高裁判決が指導的判例となつている。

【117】「原判決は第一審判決を破棄し自ら判決を為すに当り、公訴事実中強盗の点につき、訴因罰条の変更手続を経ることなく、恐喝の事実を認定していること所論の通りであるが、元来、訴因又は罰条の変更につき一定の手続が要請される所以は、裁判所が勝手に、訴因又は罰条を異にした事実を認定することに因つて、被告人に不当な不意打を加え、その防禦権の行使を徒労に終らしめることを防止するに在るから、かかる虞れのない場合、例えば、強盗の起訴に対し恐喝を認定する場合の如く、裁判所がその態様及び限度において訴因たる事実よりもいわば縮少された事実を認定するについては敢えて訴因罰条の変更手続を経る必要がないものと解するのが相当である。そして、論旨が引用している札幌高等裁判所の判決【116】も亦、強姦致傷の起訴に対し強姦を認定する場合につき、この理を明らかにしたものと考うべきである。従つて、原判決はむしろ、右判例と同旨に出でたものというべく、これと相反する判断をしたものとは考えられない。」（最判昭二六・六・一五刑集五・七・一二七七）。

【118】「控訴裁判所が、強盗の起訴に対し強盗幇助と認定した第一審判決を破棄して、自ら恐喝と認定するについては訴因罰条の変更手続を経る必要はないものと解すべきである。」（最決昭二九・一〇・一九刑集八・一〇・一六〇〇）。

この原則は、原告の求める以上のものを判決すべきではないが、その求める範囲内で一部分を認容することは自由であるという当事者主義的観念にもとづくものであろう。英米でこれに類する原則が行われるのも同じ観念にもとづくと思われる。刑事訴訟においてこの観念がそのまま妥当するかどうかは疑があるが、元来、訴因制度の設けられた動機は、被告人の防禦権を保障するため主として訴因よりも大きい罪を無警告で認定することを禁ずることにあつたようであるから、その趣旨に照しこの原則は承認してよいであろう。しかし、検察官の意思を全然無視してよいかどうか、また被告人の防禦の利益が害されることが全然ないかどうか、なお疑の余地はある。この原則が少なくとも被告人に過大な防禦を余儀なくさせることは明らかである。したがつてこの原則は余り拡張さるべきでなく、またその適用される場合でも状況に応じ任意に訴因を変更することが望ましいと考える。

この原則が適用されるためには、判決の認定する犯罪構成事実と訴因とされた犯罪構成事実とを比較し、前者が後者に包含される関係にあることを要すると考える。すなわち訴因の一部を否定し、残りの部分に変更のない場合でなければならない。（変更があつても他の理由により訴因変更の不要とされることがあることはもちろんである。）同一構成要件にあたる事実の一部を認定する場合のほか、既遂と未遂、結合犯とその部分の関係のある場合などはその適例である。【117】のように強盗と恐喝になるとやや異なり、量的のみならず質的な差が出てくる。しかし行為の態様が同一で、その範囲または程度が減縮される場合ならば、この原則の適用が認められるであろう。しかし、公務執行妨害と暴行のように罪質を異にするときは認めるべきでないと思う。防禦の重点が異なつてくるからである。判例を挙げよう。

【119】「公文書偽造の起訴に対し公務員の印章署名偽造を認定する場合の如きは、裁判所が訴因たる事実の或る構成部分を認定するものに過ぎないから、これがため公訴事実の同一性を失わないのは勿論、被告人の防禦権を侵害する虞れもないと解すべきである。」（東京高判昭二六・一〇・六特二四・一一五）。

【120】「およそ犯罪の未遂の事実は既遂の事実のうちに包含せられるのであるから、起訴状記載にかかる窃盗既遂の公訴事実に基いて判決において窃盗未遂の事実を認定されることがあつても被告人の防禦権の行使

上、何ら実質的な不利益をもたらす虞なく、従つて、このような場合には訴因変更の手続をふむ必要がない。」（福岡高裁昭二五・七・一八特一二・一一二）。

【121】「恐喝罪において被脅迫者が数人でも財産上の被害者が一人である場合には単一罪である。本件では財産上の被害者は一人であるから起訴状には脅迫の相手方が二人あつた事を訴因の変更手続をしないで相手方一人と認めても差支えない。」（東京高判昭二五・五・二〇刑集三・二・一九二）。

以上は客観的事実の縮小であるが、犯意を縮小する例もしばしば見られる。

【122】（控訴審判旨）「裁判所の認定しようとするその事実が、既に設定せられている訴因と公訴事実の同一性を失わずしかもその訴因の一部としてその中に完全に包含せられてその範囲を超えることなく、その事実を認定することによつて被告人の防禦に実質的な不利益を来す虞れのない場合には、たといその構成要件において訴因と異なる事実を認定しようとも、訴因制度の目的に鑑みとくにその訴因の変更追加などの修正を必要としないものと解するのが相当である。原審は被告人が殺害の意思を以て……鋭利な切出により金の前胸部を突き刺し同人に全治三十日を要する刺傷を負わせたが殺害の目的を達するに至らなかつたという殺人未遂の訴因のうち、被告人の主張を容れ殺意を排斥して暴行の認定に止めると同時に、その余の事実の全部を認めてこれを傷害罪と判定したもので、その日時、場所、方法、客体、行為の結果など被告人の防禦の焦点は両者全く共通であるから、被告人の防禦に何等実質的な不利益を来たすものではない。従つて原審が本件につき訴因の修正を命ぜずしてこれを傷害罪と認定したのは正当である。」（広島高岡山支判昭二七・四・二二）。

（上告審判旨）「上告趣意第一点は本件殺人未遂の起訴に対して訴因罰条の変更手続を経ないで傷害を認定することを是認した原判決を非難するのであるが、この点に関する原審判断は正当であつて所論の理由なきこと当裁判所の判例の趣旨とするところである。（昭和二六年六月一五日第二小法廷判決【117】参照）。」（最決昭二八・一一・二〇刑集七・一一・二二七五）。

【123】「本件殺人未遂の訴因と傷害の認定事実とは公訴事実の同一性が認められ、原判決が訴因変更の手続を経ることなく殺人未遂の訴因を傷害と認定しうるとしたことは正当である。論旨が引用する高等裁判所判例は、訴因変更により公訴事実を異にするにいたる事例であつて本件に適切でなく、論旨は採るを得ない。」（最判昭二九・八・二四刑集八・八・一三九二）。

（註）論旨引用の判例は【21】で、公訴事実の同一性を欠く場合ではない。この判決の「公訴事実の同一性」という用語の用い方は不正確である。

【124】「起訴状記載の訴因に含まれる事実の範囲内で、罪名を異にする他のより軽微な犯罪類型に該当する事実を認定するには、常に必ずしも刑事訴訟法第三百十二条所定の措置をとる必要はないと解すべきである。蓋し、このことによつてその基本たる事実関係の同一性が害されることはない。しかも被告人の防禦に実質的な不利益を生ずる虞もないからである。然らば、本件の如く、起訴状記載の訴因は被告人が宮城を殺害したという事実であるのに、原審が訴因の変更等刑事訴訟法第三百十二条所定の措置をとらずに、判決において、被告人が同人を傷害して死に致したという事実を認定したのは、まさに、以上説示の場合にあてはまる場合であつて、相当と認められる。」（仙台高判昭二六・六・一二特二二・五七）。

次の事例は傷害の共同正犯としての訴因に対し、共犯関係を否定し、当該被告人自身の暴行行為についてのみ罪責を認めたもので、これも同じ原則の適用と考えることができる。

【125】（訴因）被告人は他一名と共同して甲の足を蹴り顔面を殴打して同人の左眉毛部、上下眼瞼に傷害を与えた。

（控訴審認定事実）被告人は甲の腰部を下駄ばきの足で蹴上げ、もつて暴行した。

（判旨）「原判決は第一審判決を破棄し自ら判決をなすに当り、公訴事実中傷害の点につき訴因罰条の変更手続を経ることなく暴行の事実を認定していることは所論のとおりであるが、この点に関する原審の判断は正当であつて所論の理由なきこと、当裁判所の判例（昭和二六年六月一五日第二小法廷判決【117】参照）の趣旨とするところである。」（最決昭三〇・一〇・一九刑集九・一一・二二六八）。

次のような場合になるといささか罪質を異にするが、結合犯の関係としてなおこの原則が認められよう。なお、【126】は酒食を要求し断わられたので相手を川に突き落したという事案、【127】は自動車に投石したという事案で、財物奪取の点はどちらも未遂である。

【126】（控訴審判旨）「訴因が強盗致死であるのに、判決で財物奪取（又はその未遂）の点を除くその余の部分について訴因と同一の具体的事実を認定し之を傷害致死罪として処断することは、不告不理の原則に反するものではなく、又そのように認定することは被告人の防禦に実質的な不利益を与えるものでもないから、その際訴因変更の手続を必要とするものでもない。」（仙台高判昭二八・五・二九特三五・三〇）。

（上告審判旨）「元来訴因又は罰条の変更につき一定の手続が要請される所以は裁判所が訴因又は罰条を異にした事実を認定することによつて被告人の防禦権行使の機会を失わしめ又はこれを徒労に終らしめることを防止するにあるところ、本件において強盗致死罪の訴因に対し、財物奪取の点を除きその余の部分について訴因に包含されている事実を認定し、これを傷害致死罪として処断しても右のような虞れはないと考えるから、この点に関する原審の判断は正当である。論旨引用の各判例はいずれも本件に適切でなく所論は採用できない。（昭和二六年六月一五日第二小法廷判決【117】参照）」（最判昭二九・一二・一七刑集八・一三・二一四七）。

【127】「強盗未遂の訴因に対し、訴因罰条の変更手続を経ずして訴因の縮少された態様たる暴力行為等処罰に関する法律第一条第一項の事実を認定しても違法と解すべきではない。」（東京高判昭三〇・四・九刑集八・四・四九五）。

次の判例もこの原則の一つの適用と見られるが、やや疑問がある。

【128】「およそ業務上過失致死傷と非業務重過失致死傷とはその犯罪構成要件を異にするが、業務上の過失

には、業務者に単純な軽過失あるときのほか、重大な過失あるときをも包含するは言を俟たないから、業務上過失致死傷の訴因事実の過失にして重大な過失に該当する限り、前者に対する被告人の防禦は当然に後者に対するそれを包含するものということができるのみならず、元来被告人の起訴された所為を軽過失と判定するか重過失と判定するかは該所為を前提とする法律上の価値判断に属するので、訴因の変更又は追加の手続なくして、業務上過失致死傷の公訴事実を非業務重過失致死傷として認定することは許されるものと解すべきである。」（福岡高判昭三一・一・二八刑集九・一・三五）（【75】参照）。

（二）　この原則の拡張　　右の縮小認定の原則は更に拡張される傾向がある。第一に、構成事実としては重なり合うけれども罪質の異なる場合である。

【129】　「刑法第一一〇条の放火罪の起訴に対し、訴因として掲げられた事実のうち公共危険発生の部分を否定して同法第二六一条の毀棄罪と認定して判決するには、特に被告人の防禦に実質的な不利益を生ぜしめない限り訴因変更の手続を必要としないものと解すべきところ……」（仙台高判昭二六・六・五特二二・五五）。

これは「被告人の防禦に実質的な不利益を生ぜしめない限り」という要件を別につけているけれども、重点は訴因の一部否定という点にあると思われる。しかし果して検察官が毀棄罪としても訴追する必要を認めるかどうか疑問がある。

第二に、社会的事実としては重なり合うが、構成要件的評価のもとでは別個の事実である場合である。住居の焼毀またはその意思は構成要件的には障子や家具の焼毀またはその意思を含まない。

【130】　「起訴状記載の公訴事実が刑法第百八条第一項の放火罪の未遂であり、原判決認定の事実が同法第百十条の放火罪の既遂であることは所論の通りである。（中略）刑法第百八条の罪と同法第百十条の罪とは等し

く放火罪ではあるが、その構成要件を異にすることは所論の通りであり従つてその訴因も相違してくることは当然である。しかしながら本件の場合について前記の犯意に関する二個の訴因を本質的に解剖してみると、原判決が認定した犯意は、たゞ小障子、木箱を焼燬しようとするにあつて、家屋までも焼燬し、またはこれを焼燬することに対する認識は存在しないというのであるから、帰するところ公訴事実のいう犯意の範囲内において、より軽い犯意を認定したものということができる。してみれば、所論の両訴因（犯意）は本質的には別個のものとは考えられないのである。されば検察官が原審において刑法第百十条の放火犯としての訴因、罰条の追加変更等をしなかつたとしても被告人の防禦権に支障を来したものとは認められない。」（名古屋高判昭二七・七・二九特三〇・一六）。

第三に既遂または未遂と予備との関係である。予備、未遂、既遂と段階的に発展する場合には、予備は既遂または未遂に吸収されるけれども、著手前の行為であるから既遂の構成事実には包含されない。だから厳格にいうと縮小ではない。

【131】「密輸出既遂の起訴に対し、その未遂ないし予備罪を認定することは一般的にいつて、被告人の防禦権に不利益を来たさないのが通常で本件についてこれを見ても、南西諸島奄美大島に密輸出するため、口永良部島へ向け航行したということは、原審における審理の当初から既に問題の中心となつていたのであつて、被告人等の予想しなかつたところではないから、本件密輸出の起訴に対し、訴因変更の手続を経ることなくその予備罪を認定してもなんら違法不当のかどはないのである。」（福岡高宮崎支判昭二八・一一・一八特二六・一一七）。

また「輸送」と「輸送の委託」とが別個に規定されている場合には、両者は重なり合わない行為ではなかろうか。もつともこれは構成要件の解釈にも関係するが、次の判例は後者は前者に包含されるとする。

【132】「主要食糧を単一な輸送の委託によつて輸送した場合その輸送の委託は該輸送の必然的前提を為すに

過ぎない輸送行為の一部であるから所謂輸送をもつて処断すべき場合にはこれに包含せられ、ただ輸送の委託をしたが未だ輸送と為すを得ざる場合にその輸送の委託を独立の有責行為として処罰する趣旨である。（中略）起訴状に委託して輸送したとある以上輸送を委託した行為は当然にこれに包含されておるものと認められるから必ずしも訴因変更の手続を要すべき筋合のものでない。」（東京高判昭二六・六・一一刑集四・九・一〇七三）。

第四に違法性軽減事由が附加される場合である。左の判例はこれを事実の縮小と述べているけれども、実は嘱託の事実が附加されるのである。

【133】「裁判所の認定する犯罪事実が訴因たる事実とその罪種を異にせず且その態様限度に於て訴因たる事実よりも縮少されたものである場合に於ては裁判所が斯かる事実を認定するに付必ずしも検察官によつてその訴因を変更して裁判所の認定すべき犯罪事実に一致させることは必要でないものと解する。（中略）本件につき之を看るに起訴状に記載された訴因は殺人罪を構成する事実であり原審の認定した事実は嘱託殺人罪を構成する事実であるから検察官が特に殺人罪の訴因罰条を嘱託殺人罪の訴因罰条に変更することがなかつたのに原審が嘱託殺人の事実を認定したからと謂つて直に所論の如く審判の請求を受けた事実に付審判をしないで審判の請求を受けない事件に付判決をした違法があると謂うことは出来ない。」（名古屋高判昭三一・四・九高裁特報三・八・三八五）。

第五に、次のような特殊な場合にも縮小の理論が利用されている。爆発物取締罰則三条と六条とでは、構成要件は同一であるがその主観的要素の挙証責任が逆になるのである。したがつてその変更は防禦に影響を及ぼすといわなければならない。

【134】（事実）訴因は「被告人は治安を妨げ且つ身体財産を害する目的をもつて自宅においてダイナマイトを所持した」（罰条爆発物取締罰則三条）というのであるが、第一審判決は右所持の事実を認めたが右の目的の点は証明が十分でないとし、しかし被告人はその所持が同法一条の犯罪の目的に出たものでないことを証明す

ることができないものであるとして、同法六条を適用処断した。控訴審は右認定につき訴因変更の手続は必要でないと判示した。

（上告趣意）「爆発物取締罰則三条違反を訴因とする被告人の防禦方法の中には、六条違反を訴因とする防禦方法は当然には含まれていない。三条違反で起訴された被告人は、検察官が不法目的を立証しない限り、正当目的を自ら立証する義務はないのであるから、三条違反で起訴され、公判廷で訴因罰条の変更をしないまま、いきなり六条違反で判決されることは、被告人にとつて全くの不意打であり、被告人から防禦の機会を奪い去るものである。」

（判旨）「右罰則三条の罪の審判の範囲には当然右治安を防げ又は身体財産を害する目的の存否が包含せられる（ことは被告人側の予見すべき且つ容易に予見し得べきところである）のであつて、右訴因を変更せずして裁判所が罪質の軽い右罰則六条によつて処断したとしても被告人側の意表に出でその防禦権を侵害した違法あるものというを得ず、所論の各判例に違背するものではない。」（最判昭三〇・一〇・一八刑集九・一一・二二二四）。

五　具体的に防禦の利益を害しない場合

これまで掲げた訴因変更を要しないとする判例は、いずれも訴因の記載と判決の認定事実とを比較して訴因変更の要否を一般的に判断したものであつた。これに対して、具体的な訴訟の状態、すなわち当該訴訟において被告人がどういう主張をし、どのような防禦方法を講じたかを考慮にいれて訴因変更の要否を判断するものがある。

（一）　被告人の自認　　被告人が判決の認定事実を自認していたことが、しばしば訴因変更を不要とする理由とされる。

【135】（訴因）　被告人飯島は被告人中村と共謀の上昭和二五年一〇月八日大沢方牛小屋で同人所有の牛一頭

を窃取した。

（第一審認定事実）　被告人飯島は被告人中村が牛を盗むことを知つて昭和二五年一〇月八日の朝道路上で同人に対し飼い牛のいる大沢方の所在場所を地面に図解して同家を教示し、よつて中村の窃盗行為を幇助した。

（控訴審判旨）　「被告人飯島は司法警察員の取り調べにも亦原審公判廷に於ても、自分は牛の所在を中村に教えてやりその牛を処分してやつた旨主張しているのであるから訴因変更の手続をとらずに共同正犯を幇助と認定しても日時及び目的物には変りなく……公訴事実の同一性は害せられず且つ被告人の防禦に実質的な不利益を生ずるおそれがないのであるから、本件においては訴因の変更手続をとらずに公訴事実の訴因と異なる事実を認定しても何等訴訟手続に違背があるものではない。」（東京高判昭二六・四・一二最高刑集八・一・八八）。

（上告趣意）　右判示は名古屋高裁の判例【18】と相反する。

（上告審判旨）　「原判決は、右名古屋高等裁判所の判例【18】と相反する判断をしたものといわなければならない。〔しかし〕法が訴因及びその変更手続を定めた趣旨は、原判決説示のごとく審理の対象、範囲を明確にして、被告人の防禦に不利益を与えないためであると認められるから、裁判所は、審理の経過に鑑み被告人の防禦に実質的な不利益を生ずる虞れがないものと認めるときは、公訴事実の同一性を害しない限度において、訴因変更手続をしないで、訴因と異る事実を認定しても差支えないものと解するのを相当とする。本件において被告人は、第一審公判廷で、窃盗共同正犯の訴因に対し、これを否認し、第一審判決認定の窃盗幇助の事実を以て弁解しており、本件公訴事実の範囲内に属するものと認められる窃盗幇助の防禦に実質的な不利益を生ずる虞れはないのである。それ故、当裁判所は、刑訴四一〇条二項に従い、前記名古屋高等裁判所の判例を変更して原判決を維持するを相当とする。」（最判昭二九・一・二一刑集八・一・七一）。

【136】　「刑訴法が訴因及びその変更手続を定めた趣旨は、審理の対象、範囲を明確にして被告人の防禦に不利益を与えないためと解されるから、裁判所は、審理の経過に鑑み、被告人の防禦に実質的な不利益を生ずる

虞がないものと認めるときは、公訴事実の同一性を害しない限度において、訴因の変更をしなくても訴因と異る事実を認定しても差支えないものであることは、当法廷の判例とするところである。（昭和二九年一月二一日言渡判決【135】参照）。そして、本件では、被告人が相被告人北川等と共謀の上貿易等臨時措置令違反並びに関税法違反の行為をしたという起訴事実に対し、原一、二審判決は、訴因変更の手続を執らないで同幇助の事実を認定したものであつて、被告人は、第一審の公判廷で、知情の点を除いて幇助の事実を自認したものである。されば、原一、二審の右措置は、その審理の経過に鑑み被告人の防禦に何等実質的な不利益を及ぼすものとは認められないから、所論は、採用できない。」（最判昭二九・一・二八刑集八・一・九五）。

「被告人の防禦に実質的な不利益を生ずるおそれがない」という言葉は他の場合にもしばしば用いられている。前述の縮小認定の場合にも、また事実の相違が僅かである場合にも、同一または類似の理由によつて訴因変更の必要が否定されることが多い。しかし、ここでは当該事件の審理の経過にもとづいてこの判断がされていることに注意しなければならない。かように訴因変更の要否の判断が具体的に事件ごとにされなければならないとすれば、その基準は一層あいまいなものにならざるを得ない。訴因を審判の対象と解する最高裁判所の立場から見て、その変更の限界をかように不明確にすることが果して適当かどうか、ここにまず疑問がある。

次に被告人が自認していればその防禦に不利益を及ぼさないというのは、もちろんそれが唯一の理由ではなく、他の理由と競合する場合も多いであろうが、被告人の自認する限度で有罪と認めることは被告人としても異存がないだろうという意味であろう。英米にも同様の観念があるようであるが、かような考え方は処分権主義的であつて刑事訴訟になじまないものである。それだけではなく、訴因と異なる事実の自認は訴因に対する防禦方法の一種であつて、必ずしも自認した事実について有罪と認定されることを承認するものとは解されない。公務員を欺罔して補償金を詐取したという訴因で起訴された者は、公務員と情を通じていたこと、公務員にリベートを贈つたことなどを立証するかもしれない。それを逆手にとつて突如として背任罪の共犯あるいは贈賄罪として処断されたらたまつたものではない。かような防禦方法の逆用はすでに挙げた判例のうちにもときどき見られるが（たとえば【53】）、右の判例の理論はまさにそれを認めたものである。しかも、訴因変更手続をしないでも防禦に実質的な不利益を生じないということは、あくまでも仮定の上に立つた判断にすぎない。実際に訴因を変更してみなければ、訴因変更の結果どういう防禦方法が提出されるかわからないからである。たとえば、【135】において被告人は中村と一緒に牛を盗んだという訴因に対し、私は中村に牛の所在を教えただけだと主張しているのであるが、そのことが窃盗幇助として訴因にされるならば、私は中村が牛を盗むということは知らなかつたと主張するかもしれない。だから訴因を変更しないでおいて被告人に実質的不利益はないというのは独断のきらいがあり、訴因制度の趣旨に反すると考えられる。

この理論は、高等裁判所でも、特に単独犯を共犯に、共同正犯を従犯に認定する場合に採用されている。

【137】　「共同正犯に比して幇助の刑責の軽いことは明であるから一般に斯る認定は被告人に不利益を及ぼさないのみならず、本件記録によつて原審に於ける被告人の防禦の経過を見るに被告人は第一回公判に於て共謀の事実、窃盗の実行の事実を否認し、判示秋山が窃盗を為すの情を知り乍ら同人の命によつて途中まで同行して待ち次で同人の窃取した物品中原判示物件を運搬した事実を認めていることは明であつて、原判決の認定は

むしろ此の被告人の自認の限度に於て為されたものと見るべきであり固より被告人の防禦に実質的不利益を齎したものと云うことはできない。」（東京高判昭二五・三・三〇・特一〇・一三）。

【138】「正犯を帮助犯と認定し、その認定が被告人両名の自認する限度であることを考えると、被告人の防禦に実質的不利益を与えたものと見ることができない。」（東京高判昭二六・一一・八特二五・三六）。

【139】「原審第一回公判調書によると被告人は被告事件に対する陳述として「事実はそのとおり間違いありませんがその時私は友達に共犯を勧められ同人の指示によって一緒に入ったのであります」と陳述し、弁護人もまた右のとおり陳述し、また原審第三回公判調書によると弁護人は被告人と小幡の共同正犯という前提の下に意見の陳述をなしていることが認められ、その他本件記録によると、被告人の単独犯としての起訴を訴因変更の手続をとらないで、被告人と小幡との共同正犯と認定するにつき被告人の防禦権の行使につき実質的の不利益を与えるおそれがないものと認められるので原判決には、所論のような訴訟手続に法令の違反はない。」（名古屋高金沢支判昭二九・一一・一八高裁特報一・一〇・四五七）。

また、次のように訴因の事実を拡張して認定する場合も、被告人の自認が訴因変更を不要とする理由とされている。

【140】「原判決は、仮処分の標示を無効ならしめた具体的な行為の態様として、訴因に明示されている仮処分の公示札を執行吏の施した箇所から取り外したという事実の外に、該公示札を建物の内側東南角の板張の箇所に移し、かつ仮処分の趣旨に反して工事を進行せしめたという訴因には含まれていない事実をこれに附加して認定しているのであるが、右訴因と原判決認定事実とが基本的事実関係において同一であることは論を俟たないところであり、しかも記録に徴すれば、本件における唯一の争点は、仮処分の公示札を執行吏の施した箇所から取り外したのは被告人であるか否かの点にあるのであって、被告人がその取り外された公示札を建物の内側東南角の板張の箇所に移した点及び仮処分の趣旨に反して工事を進行せしめた点については、終始被告人

の自認するところであるのみならず、敢えて右の如き措置を執るに至つた事情についても、被告人は弁解の機会を十分に与えられかつ立証を尽していることが明らかであるから、裁判所が訴因変更の手続を経ることなしに右の点を訴因に附加して認定しても、被告人の防禦に実質的な不利益を生ずる虞は毫も存在しないと認むべきである。」(仙台高判昭二九・一二・六 高裁特報一・一〇・四六六)。

(二)　防禦の尽されている場合　訴因変更を行わないでも判決の認定事実につき防禦が尽されていると認められることを理由として訴因変更が不要とされている例もある。

【141】「商法第四百八十六条所定の特別背任罪における「第三者の利益を図る」という訴因と、「自己の利益を図る」という訴因とは必ずしも同一であるとはいえないけれども、両者は法律的には構成要件を等しくするのみならず、被告人の側において十分の防禦の方法を尽していると認められるような場合には「第三者の利益を図る目的であつた」という訴因についてなされた起訴に対して、判決で「自己の利益を図る目的であつた」と認定しても、被告人には少しも実質的な不利益を蒙らしめることがないと認められるから、とくに訴因変更の手続をとらずに訴因として明示された事実と異る事実を認定しても差支えないものと解するを相当とする。」(東京高判昭三二・九・五 刑集一〇・七・五七九)。

この判決は、被告人、弁護人が原審公判で「第三者の利益を図る目的」を否定するにとどまらず、積極的に「被告人は本人たる会社の利益を図る意思のもとに行動した」と主張立証したこと、検察官も被告人には「第三者の利益を図る目的」だけでなく「自己の利益を図る目的」もあつたことの立証に努め、その点についても防禦が尽されていることを詳細に説明し、これを訴因変更を要しない理由にしている点に特色がある。これは被告人の自認を理由にするよりは合理的であろう。しかし、これもやはり仮定の上に立つた判断であり、真に被告人に実質的な不利益を与えなかつたかどうかは疑問である。ことに原判決で「自己の利益を図る目的」とされているのは金銭的利欲ではなく、部下の背任行為に対する監督責任を回避し、本社に対する面目信用失墜を免れる目的だというのであるから、やや不意打の感がないではない。

また、次の判決は、供与金額三万円を五万円と認定するには原則として訴因変更を要すると認めながら、

【142】「被告人田中に対する起訴状の記載は本来五万円と記載されるか又は五万円と訴因の変更をせられるべきものであつたことを推認しうるのみならず、被告人田中においても右金員が五万円として起訴されたことを前提として種々防禦方法を講じていることが記録上認められるのである。故に原審が訴因変更の手続を経ないで五万円の供与を認定したとしてもこれを以て被告人に不意打に起訴事実よりも不利益な事実を認定したもの或は被告人から不当に防禦方法を講ずる機会を奪つたものと認められない。」(東京高判昭三〇・三・三高裁特報二・八・二六三)。

という理由で原審訴訟手続の違法は判決に影響を及ぼすことが明らかでないとしているが、実質的に防禦が講じられていることを理由とする点では前と同様である。

更に構成要件を異にする場合にも同様の理論が用いられている。

【143】「本件は……窃盗の点はこれを占有離脱物横領と認定するのが相当であるところ右は前記窃盗の訴因と公訴事実を同じくし、かつ前者の点についても審理を尽したものであつてもとより被告人は充分防禦の機会を与えられたものであるから更めて訴因変更の手続を経ることなく当審において直ちに判決し得るものと解する。」(高松高判昭三二・三・二三高裁特報四・八・一八〇)。

これは窃盗の訴因に対し訴因を変更しないで占有離脱物横領を認定し得る場合があるとした点において、冒頭の【3】に訴因変更の例として掲げた判例と相反する判例である。しかし、窃盗の訴因と占有離脱物横領の訴因とは、どの立場から見ても同一とはいえないであろう。多くの判例の見解に従えば、訴因は審判の対象である。そうであるならば、同一でない訴因について被告人が争つているとか防禦の機会を与えられているとか審理を尽くしているとか論ずること自体がおかしいのである。それに、被告人が自認していれば訴因変更を要しない、争つていても訴因変更を要しないというのであれば、訴因変更などはなくなつてしまう。要するに、具体的な訴訟の状態を考慮にいれて訴因変更の要否をきめることは妥当でないと思われる。

〔追補〕本稿執筆終了後次の最高裁判決が現われているから、ここに掲載する。これは【42】の次に入るべき判例である。

【144】（事実）起訴状第一㈡の訴因は「被告人甲は乙、丙、丁と共謀の上、昭和二八年一二月下旬頃神戸市内三井倉庫において落綿一一俵を窃取した」というのであるが、第一審判決はこれに対して「第一㈡被告人甲は昭和二八年一二月下旬頃三井倉庫で(イ)乙、丙と共謀の上落綿六俵を(ロ)丁と共謀の上落綿五俵を各窃取した」と認定した。

（判旨）「被告人が判示の月下旬頃他人と共謀の上判示倉庫において落綿一一俵を窃取したとの基本的事実関係において公訴事実と一審認定事実との間に同一性があるということができ、そして、一審判決は、被告人が右窃盗のほか、別に、起訴状の公訴事実第二に基き、第二事実として、被告人が名港倉庫において焼綿一八俵を窃取した事実をも認定していることとまた記録上明らかであるから、同判決が所論起訴状第一の㈡の事実を二個の窃盗と認めても、これを一個の窃盗と認めた場合と同様、これらは右別個の一八俵の窃盗及び一審判決判示第一の暴行と相まつて刑法四五条前段の併合罪を構成し、しかも窃盗罪の刑に併合罪の加重を施した刑期範囲をもつて本件量刑の法律上の範囲とすることに変りはないから、同判決が前記のように第一㈡(イ)(ロ)の各窃盗を認定しても、被告人の防禦に実質的不利益を生ずる虞がないということができる。してみれば、結局原判決には所論のような判例違反若くは判決に影響を及ぼすべき法令違反はなく、論旨は採用できない。」（最判昭三二・一〇・八刑集一一・一〇・二四八七）

区裁判所判例

判例索引

大審院判例

最高裁判所判例

高等裁判所判例

著者紹介

鴨　良弼　東北大学教授

小野慶二　東京地方裁判所判事補

総合判例研究叢書　刑事訴訟法（6）

昭和33年10月25日　初版第1刷印刷
昭和33年10月30日　初版第1刷発行

著作者　鴨　良　弼
　　　　小野慶二

発行者　江草四郎

印刷者　春山治部左衛門

発行所　株式会社　有斐閣
東京都千代田区神田神保町2ノ17
電話九段(33)0323・0344
振替口座東京370番

印刷・共立社印刷所　製本・稲村製本所

総合判例研究叢書 刑事訴訟法(6)
(オンデマンド版)

2013年2月15日　発行

著　者　　鴨　良弼・小野　慶二
発行者　　江草　貞治
発行所　　株式会社 有斐閣
〒101-0051　東京都千代田区神田神保町2-17
TEL　03(3264)1314(編集)　03(3265)6811(営業)
URL　http://www.yuhikaku.co.jp/

印刷・製本　　株式会社 デジタルパブリッシングサービス
URL　http://www.d-pub.co.jp/

AG532

ISBN4-641-91058-8
Printed in Japan